KOBIETY

KOBIETY

ANDREA CAMILLERI

Przełożył TOMASZ KWIECIEŃ

DOM WYDAWNICZY REBIS

prawo**lubni♥**

Wydanie I
Poznań 2015

ISBN 978-83-7818-736-3

Dom Wydawniczy REBIS Sp. z o.o.
ul. Żmigrodzka 41/49, 60-171 Poznań
tel. 61-867-47-08, 61-867-81-40; fax 61-867-37-74
e-mail: rebis@rebis.com.pl
www.rebis.com.pl

Angelika

Kochałem się w dwóch Angelikach. Tej, która była tworem poezji mistrza Ludovica Ariosta, zawdzięczam pierwsze miłosne doznania, wzniosłe i niszczące zarazem.

Nauczyłem się płynnie czytać, kiedy miałem sześć lat, i od tamtego czasu nigdy już nie przestałem. Uzyskałem od ojca zgodę na korzystanie z jego biblioteki i moją pierwszą przeczytaną książką była powieść Conrada *Szaleństwo Almayera*. Ojciec nie był intelektualistą, ale bardzo dobrze wybierał swoje lektury. Pożerałem jak leci Conrada, Melville'a, Simenona, Chestertona, Maupassanta i, spośród włoskich autorów, Alfreda Panziniego, Antonia Beltramellego, Massima Bontempellego.

Moi dziadkowie ze strony matki zajmowali mieszkanie obok naszego, ale nie zainteresowała mnie biblioteka dziadka Vincenza. Była pełna podręczników wydawnictwa Hoepli dotyczących uprawy zbóż i hodowli zwierząt, znajdowała się w niej jedna czy druga edukacyjna książka dla dzieci, nie było jednak żadnej powieści. Dziadek zbierał również zeszyty cyklicznego opracowania poświęconego historii, geografii i gospodarce regionów Włoch. Większość z nich kazał oprawić, ale jakieś trzydzieści sztuk leżało luzem na najniższej półce.

Pewnego dnia, najzupełniej przypadkowo, zorientowałem się, że pod ich stertą kryje się gruby wolumin. Wyciągnąłem go. Był znacznej wielkości, dwukrotnie wyższy i szerszy od normalnej książki, na ciężkiej, brunatnoczerwonej okładce widniał napis: „Ludovico Ariosto, *Orlando furioso*". Karty były błyszczące i grube. Moją uwagę natychmiast przykuły ilustracje Gustave'a Doré.

Przywłaszczyłem sobie książkę i zabrałem ją do mojego pokoju. Nikt nawet nie zauważył jej zniknięcia.

Odtąd przez kilka lat mieszkałem wspólnie z Angeliką, w której zakochałem się na zabój z racji kształtów, jakimi ją obdarzył Doré. Jego ilustracje wywołały we mnie to niewysłowione uczucie, które ogarnia chłopaka, kiedy po raz pierwszy widzi nagie kobiece ciało. Może właśnie ze względu na te ryciny książka została na wpół ukryta?

Wpatrywałem się w Angelikę przedstawioną przez Doré, nagą dziewczynę z nadgarstkami przykutymi łańcuchem wysoko do skały, ze sztychu ilustrującego nie pamiętam już jaki epizod. Delikatnie wodziłem palcem po konturach jej ciała, pieściłem je z przymkniętymi oczami i walącym jak szalone sercem, powtarzając sobie jak litanię imię Angeliki.

Pamiętam również dwa konkretne epizody poematu, które w mojej głowie, to znaczy głowie dziesięciolatka od czterech lat wychowywanego na doskonałych i bynajmniej nie dziecięcych lekturach, wyryły się w sposób niezniszczalny. Pierwszy to historia Fiammetty, która potrafi zdradzić jednocześnie obu swych kochanków, choć leży pomiędzy nimi w jednym łóżku. Drugi to fakt, że Angelika, choć o jej względy zabiegają wielcy rycerze i bogaci arystokraci, zakochuje się w ubogim pasterzu, Medorze, i ucieka, by dzielić z nim życie.

Rozumiałem, że Orland, dowiedziawszy się o ucieczce ukochanej, mógł odejść od zmysłów, ale instynktownie lepiej pojmowałem wybór Angeliki i stawałem po jej stronie.

Na początku gimnazjum trafiłem do klasy mieszanej. Wszyscy koledzy natychmiast zadurzyli się w Lilianie. Ja nie. Dziewczyna była piękna, nie dało się zaprzeczyć, zbyt jednak niepodobna do Angeliki. Przed wejściem do klasy zostawialiśmy płaszcze na wieszakach umieszczonych wzdłuż korytarza. Po lekcjach moi koledzy rzucali się biegiem, by zabrać palto Liliany i usłużyć jej przy wkładaniu go. Wyścig nie wykluczał popchnięć, kuksańców i obelg.

Niemal zawsze wygrywali dwaj najsilniejsi, Giorgio i Cecè, synowie bogatych kupców. Zawsze dobrze ubrani, zawsze dużo pieniędzy w kieszeni. Mnie, syna byle urzędniczyny, nawet nie raczyli dostrzec.

Ale pewnego dnia, kiedy Cecè trzymał już gotowe do włożenia palto, Liliana spojrzała na niego i powiedziała lodowatym tonem:

– Powieś je na miejsce.

Osłupiały Cecè posłusznie wykonał polecenie. Wówczas Liliana nieoczekiwanie zawołała na mnie. Zbierałem się już do wyjścia, więc odwróciłem się zaskoczony. Rzadko się do mnie odzywała.

– Andrea, będziesz tak dobry i przytrzymasz mi palto?

Od tamtego dnia stałem się jedynym oficjantem rytu. Dzięki tej funkcji uzyskałem liczne i wzbudzające zazdrość przywileje, przede wszystkim prawo odprowadzania Liliany po lekcjach do domu. I inne, o których nikt się nigdy nie dowiedział: jej ręka szukająca mojej, przelotny pocałunek na moim policzku i ledwie dosłyszalne „kochany jesteś".

W ten oto sposób odkryłem, że w każdej kobiecie gości, mniej lub bardziej sekretnie, coś z Angeliki.

Drugą Angelikę spotkałem w Rzymie w ostatnich miesiącach 1949 roku albo w pierwszych 1950, nie pamiętam dobrze.

Studiowałem wówczas reżyserię w Narodowej Akademii Sztuki Teatralnej, nadal jeszcze prowadzonej przez Silvia D'Amico, jej założyciela. Cieszyłem się posiadaniem stypendium, które pozwalało mi żyć przyzwoicie przez dwadzieścia pięć dni w miesiącu. Na pozostałe pięć czy sześć dni pogrążałem się w ubóstwie. Na obiad musiałem się zadowalać filiżanką cappuccino i brioszką. Prawie zawsze chodziłem wtedy do kawiarni przy piazza Venezia, na rogu via del Corso.

Pewnego dnia przy sąsiednim stoliku zauważyłem drobną, starannie ubraną staruszkę. Również ona zamówiła cappuccino i brioszkę. Na chwilę podniosła głowę i popatrzyła na mnie. Poczułem gwałtowne uderzenie serca.

Jej oczy, wielkie i żywe, przypominały mi oczy mojej babci Elviry. Uwielbiałem babcię, bardziej brakowało mi jej niż rodziców. Chyba zbyt długo przypatrywałem się starszej pani, bo znów na mnie popatrzyła, tym razem z uśmiechem na twarzy.

Ten uśmiech i to spojrzenie miały niewymowny urok, odejmowały w jednej chwili całe lata, które nosiła na karku, przywracały jej wygląd dziewczyny. Nie potrafiłem się powstrzymać. Moje nogi ruszyły same, bez żadnego rozkazu. Wziąłem filiżankę i talerzyk, wstałem i podszedłem do jej stolika.

– Pozwoli pani?

Gestem wskazała mi krzesło. Potem zapytała, nieco zaskoczona:

– Rozpoznał mnie pan?

Dlaczego miałbym ją rozpoznać?

– Nie, ale, proszę wybaczyć, tak bardzo przypomina mi pani moja babkę, że...

Uśmiechnęła się. Ach, ten uśmiech!

– Jak się nazywa pana babcia?

– Elvira.

– Ja jestem Andżelika. Andżelika Bałabanowa.

O mało nie spadłem z krzesła. Wiedziałem, kim jest Andżelika Bałabanowa*, wielka rosyjska rewolucjonistka, przyjaciółka Lenina, osoba, która „stworzyła" Mussoliniego.

Pytanie wyrwało mi się z ust, zanim zdążyłem je zatrzymać:
– Jaki był Lenin?

Musieli ją o to pytać tysiące razy. Odpowiedziała natychmiast i zwięźle:
– Był człowiekiem o żelaznej uczciwości. Srogim aniołem. Nie zamierzała jednak rozmawiać ze mną o polityce, bo szybko zmieniła temat, pytając, co robię w życiu. Gdy tylko usłyszała, że zajmuję się teatrem, jej oczy rozbłysły. Zaczęła mi mówić mi na ty.
– Co znasz Czechowa?
– Myślę, że wszystko.
– W młodości – westchnęła – byłabym idealną Niną w *Mewie*.

I zaczęła opowiadać mi o Czechowie z żarliwością i kompetencją, które mnie zaskoczyły. Mówiła jednak nie tak, jakby chciała mnie czegoś nauczyć, ale jak równa z równym, jak gdyby

---

* Andżelika Bałabanowa (1878–1965) była bliską współpracownicą Mussoliniego we wczesnym, przedfaszystowskim okresie jego działalności. Odegrała wielką rolę w rozwijaniu zdolności politycznych przyszłego Duce. Oboje należeli do Włoskiej Partii Socjalistycznej i razem prowadzili dziennik „Avanti" – Mussolini odszedł z niego pod presją Bałabanowej, zaraz po tym, gdy opowiedział się za przystąpieniem Italii do wojny światowej. Na jej wniosek został również wyrzucony z partii socjalistycznej, co rozpoczęło jego samodzielną drogę polityczną i dało asumpt do narodzin włoskiego faszyzmu (wszystkie przypisy tłumacza).

była moją koleżanką z Akademii. Od czasu do czasu bezwiednie gładziła mnie po ręce. W ten sposób odkryłem, że drugą wielką pasją Bałabanowej, zaraz po polityce, był teatr. Kiedy przyszedł na mnie czas i zacząłem się żegnać, powiedziała mi:

– Do jutra. I nie mów mi pani, mów mi Andżelika.

Nie wiem dlaczego, ale następnego dnia szedłem na spotkanie z gwałtownym biciem serca, jak na miłosną schadzkę. Nie powiedziałem nikomu, że ją poznałem, zresztą moi koledzy nie wiedzieliby nawet, o kogo chodzi. Nigdy nie zdradziła mi, gdzie mieszka, jak spędza czas. Miesiąc dobiegał końca, widzieliśmy się pięć razy, następnego dnia miałem odebrać kolejne stypendium. Okres spod znaku cappuccino i brioszki chwilowo dobiegł końca.

– Andżeliko, mogę panią jutro zaprosić na obiad?

Spojrzała zaskoczona. A potem się zgodziła.

– Dobrze.

Pozwoliła sobie podać adres restauracji, powiedziała, że przyjdzie o pierwszej, dodała, że zaraz ma spotkanie i musi mnie już pożegnać. Podała mi rękę. Skłoniłem się i złożyłem na niej delikatny pocałunek. Wtedy ona mnie uścisnęła i stając na palcach, pocałowała w oba policzki.

Nie tylko nie przyszła do restauracji, ale też nie pojawiła się więcej w kawiarni. Znikła z mojego życia. Długo cierpiałem z tego powodu.

Antygona

W tragedii *Siedmiu przeciw Tebom* Ajschylos przedstawił brato-
bójczą wojnę o tron wszczętą przez Polinejkesa, której wszakże
ostatecznym zwycięzcą okazał się Kreon, król miasta. Sofokles
napisał do tej historii swego rodzaju ciąg dalszy, którym jest
inna tragedia, *Antygona*.

Kreon nakazuje, aby zwłoki uznanego za zdrajcę Polinejkesa pozostały niepochowane, rzucone na pastwę sępów. Jednak którejś nocy młoda Antygona, siostra Polinejkesa, zostaje
pochwycona podczas próby pogrzebania brata. Przekroczenie
tego zakazu karze się śmiercią. Stając przed obliczem Kreona,
dziewczyna nie usprawiedliwia się, odważnie broni swoich racji,

powołując się na prawa boskie, które w tym przypadku wchodzą w konflikt z prawami ludzkimi. Nie ulega ani prośbom, ani groźbom, gotowa wyjść na spotkanie swego tragicznego losu. Kreon skazuje ją na śmierć przez pochowanie żywcem w grocie. Jednak Antygona popełnia samobójstwo, wieszając się. Zmarli zaś przyzywają zmarłych. Z powodu utraconej miłości zabija się również Hajmon, syn Kreona i narzeczony Antygony. To samo uczyni Eurydyka, żona Kreona, zrozpaczona po tragicznej śmierci syna. Królowi pozostaje tylko bezradnie patrzeć na kres swego rodu.

Odtąd postać Antygony stanie się inspiracją dla licznych dramatopisarzy. Wspomnę tylko dwóch. Nie można pominąć ojca włoskiej szkoły dramatycznej Vittoria Alfieriego, któremu w tragedii zatytułowanej od imienia naszej heroiny udaje się akrobatyczna sztuka pomieszczenia pięciu kwestii w jednym tylko jedenastozgłoskowcu. Kreon, dawszy Antygonie wybór między poślubieniem Hajmona a śmiercią, wzywa ją, by oznajmiła mu swe postanowienie.

Kreon: *Wybrałaś?*
Antygona: *Tak.*
Kreon: *Hajmon?*
Antygona: *Śmierć.*
Kreon: *Mieć będziesz!*

Pod koniec drugiej wojny światowej francuski dramatopisarz Jean Anouilh napisał długą jednoaktówkę, w której przedstawia Antygonę jako postać predestynowaną do sprzeciwu (*przy-*

szłam na świat, by powiedzieć „nie" i umrzeć), króla Kreona zaś jako pragmatyka działającego pod presją okoliczności.

Wielu odczytało w sztuce nieszczególnie zawoalowaną apologię współpracującego z Niemcami rządu Vichy, na czele którego stał marszałek Pétain.

A jedną Antygonę poznałem osobiście.

Oczywiście nie bohaterkę literacką, ale dziewczynę z krwi i kości, której ludzkie losy miały jednakowoż ten sam tragiczny wymiar, ten sam nimb śmierci, tę samą głuchą i kamienną wolę klasycznej heroiny.

Do spotkania doszło, kiedy pewna znana osobistość telewizyjna zaprosiła mnie do swego programu, abym zaprezentował jeden z pierwszych tomów cyklu moich powieści kryminalnych o komisarzu Montalbano. Wśród zaproszonych gości znajdowała się także drobna brunetka o wielkich oczach. Wyglądała na niewiele ponad dwadzieścia lat, bez makijażu, blada, nosiła dżinsy i ciemny sportowy sweter. Siedziała odrobinę skurczona i wyraźnie onieśmielona sytuacją, w jakiej się znalazła. Gospodarz programu przedstawił ją (nazwisko nic mi nie mówiło) i dodał, że ma do opowiedzenia swoją bardzo szczególną i osobistą historię.

Około połowy programu prowadzący oddał jej głos.

Zaczęła z wysiłkiem i wahaniem, zdradzając swe pochodzenie lekkim sycylijskim akcentem, i nawet gdy już nabrała odwagi i zaczęła opowiadać z większą swobodą, uświadomiłem sobie, że jej głos jest monotonny, jednostajny, nie zdradza żadnych emocji, żadnego, powiedziałbym, osobistego zaangażowania. Po prostu relacjonowała fakty i tyle. Nie poruszała się, nie wykonywała żadnych gestów. Ręce na podołku, głowa przechylona nieco w lewo, stopy złączone, wzrok utkwiony gdzieś przed sobą.

Mówiła jednak o rzeczach, które zdruzgotały jej życie i jej duszę.

Opowiadała o tym, jak pewnego dnia jej ojciec i osiemnastoletni brat długo nie wracali na kolację z pola leżącego niedaleko wsi, na którym mieli również budynek gospodarczy. I o tym, jak matka wysłała ją po nich na to pole. I o tym, jak w tym budynku znalazła ciała ojca i brata, zmasakrowane strzałami z obrzynka. Przybiegła do wsi i natychmiast zawiadomiła karabinierów. Śledztwo trwało krótko i w jego wyniku karabinierzy aresztowali dwóch mafiosów, mieszkających zresztą na tej samej ulicy co ich ofiary. Motywem zbrodni było to, że zamordowani nie chcieli się ugiąć wobec roszczeń mafii.

Na dodatek, z powodu jakiegoś kruczka prawnego, aresztowani, choć formalnie oskarżeni o podwójne morderstwo, zostali warunkowo zwolnieni do czasu procesu. Jednak minął cały rok, a procesu ani śladu.

Dziewczyna codziennie spotykała na ulicy obu zabójców, którzy posyłali jej wyzywający, ironiczny uśmiech.

I tu dziewczyna zrobiła lekką pauzę.

Podniosła głowę, wyprostowała się i powiedziała tym samym, niemal monotonnym głosem, którym mówiła do tej pory:

– To nie jest sprawiedliwe, to nie jest żadna sprawiedliwość. Dlatego pewnego dnia ich zabiję. Jeśli to oni wcześniej mnie nie zabiją.

Zarówno mnie, jak i wszystkich obecnych wtedy w studiu przeszedł dreszcz. Mieliśmy absolutną pewność, że dziewczyna zrobi to, co oznajmiła. I że nic jej nie obchodzi, czy sama przy tym nie straci życia.

I w tej samej chwili zrozumiałem, że ta dziewczyna należała do tego samego rodzaju kobiet co Antygona i że Antygona musiała odpowiadać przed sądem Kreona takim samym tonem jak ta młoda Sycylijka: bez emfazy, płytkich gestów, a przede wszystkim z tą spokojną, lecz nadludzką determinacją, do której tylko kobiety są czasem zdolne.

Beatrycze

Pozostańmy przy nagich faktach. W roku 1274 we Florencji dziewięcioletni chłopiec zwany Dante, syn Alighiera di Bellincione, spotyka ośmioletnią dziewczynkę zwaną Bice, córkę niejakiego Folca Portinariego. Nie wiemy, czy dzieci wymieniają się uśmiechami czy może patrzą na siebie krzywo. Wiemy tylko, że spotkały się raz i koniec. Jednak ten ulotny moment zapuści korzenie w pamięci chłopca, spotęguje się i rozrośnie z biegiem czasu.

W roku 1277 ojciec przyszłego wieszcza aranżuje zaręczyny wówczas niespełna dwunastoletniego Dantego z Gemmą, córką Manetta Donatiego.

W roku 1283 osiemnastoletni Dante ponownie spotyka Bice. Kłania się jej, na co ona grzecznie odpowiada, z pewnością zadając sobie pytanie, kim jest ów młodzieniec. Spotkanie to, podobnie jak tamto pierwsze, nie ma ciągu dalszego. Jednak ów ukłon stanie się dla poety nie tylko osobistym i prywatnym wydarzeniem, lecz czymś tak doniosłym, iż wymagać będzie stworzenia nowego sposobu pisania poezji i patrzenia na kobietę:

Taka dostojna i tak pełna wdzięku,
Kiedy witając skinie komu głową,
Że drżą mu wargi i niemieje słowo
A wzrok omdlewa z samego zalęku.*

Nie za wiele to, jak na zwykły ukłon? A gdyby tak dziewczę przemówiło, zamieniło z młodzieńcem kilka zdań, co by się wówczas stało? Wybuchłaby w mieście panika? Wszyscy by zadrżeli, zaniemówili i zaciskali powieki?

Cztery lata później Bice wychodzi za mąż za Simone di Geri de' Bardi. Umiera 8 czerwca 1290 roku. Dante zaś pojmie Gemmę za żonę prawdopodobnie w roku 1295. Z tego małżeństwa urodzi się trzech synów i córka.

Jest pewne, że Dante i Beatrycze (takie imię Bice otrzymała od poety) nigdy nie mieli sposobności, by znaleźć się sam na sam ani nawet zamienić ze sobą słowa. Pozostali dla siebie

---

* Dante Alighieri, *Życie nowe*, pieśń XXVI, przeł. Edward Porębowicz, PIW, Warszawa 1960 (cytat za: Piotr Salwa (red.), *Historia literatury włoskiej*, tom 1, Wydawnictwo Naukowe Semper, Warszawa 2006, s. 54).

kompletnie nieznajomi. Jednak już na wieki Beatrycze będzie dla Dantego „moją kobietą", kochaną przez całe życie i w końcu uwzniośloną, podniesioną do roli przewodniczki poety po Raju. Muszę się tu przyznać do absolutnej i wrodzonej niezdolności do zrozumienia tej historii, o której mówi się, że jest najwznioślejszą historią miłosną. Czyż miłość nie jest zawsze grą dla dwóch osób? Biedna Bice jest całkowicie nieświadoma całego zamieszania, które Dante prowokuje w jej imieniu, nieskończenie daleka od uważania się za anioła czy kogoś podobnego: jest po prostu dobrą żoną i matką. Mówiąc bez ogródek, dziewczyna nie ma bladego pojęcia o tym, że jest obiektem nie miłości, lecz samotniczego nałogu, od początku do końca wymyślonego w głowie Dantego. A on, kiedy już coś sobie wbije do głowy, to nieodwołalnie. Francesco Petrarka w liście do swego przyjaciela Giovanniego Boccaccia pisze, że będąc chłopcem, raz jeden widział Dantego, kiedy ten przyszedł w odwiedziny do jego ojca. Tego samego, z którym Dante uda się później na wygnanie. I choć Petrarka wychwala mistrza pod same niebiosa, tu i tam przemyca jakieś zdanie mówiące o tym, że Dante był „wrażliwy na swoim punkcie i o nic innego niezatroskany, jak tylko o zdobycie sławnego imienia" i że nic w świecie nie potrafiłoby go sprowadzić „z raz obranej drogi".

I tak oto Dante uparcie konstruuje kobietę, która nigdy naprawdę nie istniała, nadbudowuje swoje fantastyczne rusztowanie na prawdziwej postaci Bice, aż po jej pochłonięcie, aż po unicestwienie.

Trzeba będzie poczekać na poezję Petrarki, by znów zaczęto postrzegać kobietę w nierozerwalnej jedności duszy i ciała, w „prawdziwej formie", jak zwie ją poeta. I, o ironio losu, choć o Beatrice wiemy wszystko, o Petrarkowskiej Laurze nie wiadomo nam nic. Przynajmniej jedno jest pewne: że ta kobieta naprawdę istniała, że poeta po raz pierwszy ujrzał ją 6 kwietnia 1327 roku w kościele św. Klary w Awinionie i że oboje zapałali do siebie gorącą namiętnością.

Nie ma jednak wątpliwości, że czekać trzeba będzie aż do *Dekameronu* Boccaccia, by tam wreszcie odnaleźć pełen katalog kobiet takich, jakie są, bez uwznioślania i oczerniania, z ich wadami i cnotami.

I ja miałem swoją Beatrycze, którą jednak nazywano Bice. Ale ta historia ma więcej wspólnego z prozą Boccaccia niż z poezją Dantego.

Wojna u nas, na Sycylii, skończyła się latem 1943 roku. Po paru miesiącach odbudowy ze zniszczeń obudziła się w ludziach gwałtowna wola życia.

Nasza paczka, zawiązana w czasach licealnych, a potem rozproszona wraz z lądowaniem aliantów na wyspie, zebrała się na nowo. Na miejsce kilkorga brakujących weszli szybko nowi. Było nas kilkanaścioro, niespełna dwudziestolatków płci obojga, i żadna sobota nie mogła się skończyć bez tańców trwających od ósmej wieczór do trzeciej nad ranem, albo i dłużej. Spotkania odbywały się rotacyjnie w wakacyjnych domach naszych rodzin, położonych na wsi lub nad brzegiem morza, oczywiście pod nieobecność rodziców. Za każdym razem na kimś innym spoczywał obowiązek zaprowiantowania: wystarczyły trzy wielkie formy *cuddriruni** cięte na kawałki, specjalnie zamówione u piekarza, i parę butelek dobrego wina. Byliśmy, należy to zaznaczyć, powściągliwi, nie upijaliśmy się. Nie bywało też między nami romansów, co najwyżej zdarzały się nieco bardziej widoczne przejawy sympatii.

To pragnienie bycia razem, tańczenia i picia, dzielenia się naszymi pragnieniami i marzeniami, stało się jeszcze silniejsze z nadejściem lata roku 1944. Zaczęliśmy się spotykać codziennie wieczorem i wychodzić na długie spacery. Było to dla nas pierwsze lato pokoju. I jednocześnie, co niejasno przeczuwaliśmy, nasze pożegnanie z młodością.

A potem, pewnego dnia – było to, pamiętam dokładnie, 1 lipca – Bice i Filippo zaskoczyli nas wszystkich, ogłaszając swoje zaręczyny. Przyznali się nam, że już od dawna spotykali się w tajemnicy. O niczym nie wiedzieliśmy. W ramach zadośćuczynienia towarzystwu za to, co uznaliśmy za zdradę, skazaliśmy Filippa, najstarszego z nas, już dwudziestojednoletniego, i pochodzącego z najzamożniejszej rodziny, na płacenie za prowiant przez cały miesiąc.

Później zacząłem dostrzegać, że Bice zachowuje się wobec mnie jakoś inaczej. Dotąd byłem dla niej, tak samo jak ona dla mnie, prawdziwym przyjacielem. Bice była piękną osiemnastolatką, jasną i pogodną, wyższą ode mnie, o długich blond włosach z rudawym odcieniem i smukłych nogach. Prawdziwa

---

* Charakterystyczny dla kuchni sycylijskiej rodzaj rustykalnej pizzy na grubym cieście.

21

rozkosz, zobaczyć ją w kostiumie kąpielowym. Często razem tańczyliśmy, świetnie zgrywaliśmy się zwłaszcza w boogie-woogie. Z chwilą jej zaręczyn z Filippem wydawało mi się naturalne, że odtąd już będzie tańczyć w parze tylko z nim. Ale pewnej soboty pod koniec lipca podeszła do mnie, mówiąc, że chce ze mną zatańczyć.

– Puścimy boogie?

– Nie, coś wolnego. Puść *Stardust*.

Kiedy tańczyliśmy, ręką trzymaną na moich plecach przyciągnęła mnie do siebie, patrząc prosto w oczy. W pewnej chwili szepnęła:

– Mówię to tylko tobie. W pierwszych dniach października wychodzę za mąż.

Gdy płyta się skończyła, wróciła do narzeczonego. Filippo niezbyt lubił tańczyć, wolał upolować jakąś ofiarę, zaciągnąć ją na bok i rozprawiać o filozofii. Dlatego też nie okazał irytacji, kiedy jakiś czas później Bice znów wyciągnęła mnie na parkiet. Jednak tym razem ciało Bice przylgnęło do mnie całkiem otwarcie. Na tyle, że poczułem się nieswojo.

– Bice, co się dzieje? – zapytałem zaskoczony i zakłopotany.

– O nic nie pytaj, głupolu.

Skoro jej się podobało...

Przy ostatnim tańcu szepnęła mi na ucho:

– Zrób tak, żeby najbliższą sobotę mieć wolną.

W następny piątek, podczas wieczornego spaceru, Bice powiedziała, że jej rodzice wyjechali i ma wolny dom. Sobotnie tańce odbędą się więc u niej. I dodała, że ona i Filippo pojadą tam już przed południem. Potem, zwracając się do mnie, zapytała:

— Pojedziesz z nami?

Miałem pokusę, żeby powiedzieć „nie". Po co tam moja obecność, miałbym robić za piąte koło u wozu? Jednak jej spojrzenie wyperswadowało mi odmowę. Zgodziłem się. Następnego ranka ruszyliśmy na rowerach, Bice, Filippo, ja i nieodstępująca narzeczonych na krok siedemnastoletnia siostra Filippa, Marina. Dojechaliśmy do willi, przebraliśmy się w kostiumy kąpielowe i zeszliśmy na plażę. Trudno było wytrzymać palące słońce, smażyliśmy się jak pieczeń na ruszcie. Filippo otworzył przyniesiony z domu parasol plażowy i razem z siostrą schronił się w jego cieniu. Ja i Bice weszliśmy do wody. Pływaliśmy długo, potem zatrzymaliśmy się. Bice natychmiast oplotła mnie nogami pod wodą. Nie mogliśmy się całować, zobaczyliby nas z plaży. Po chwili zrobiła się nerwowa, zostawiła mnie i odpłynęła do brzegu.

Kiedy doszliśmy pod parasol, zdecydowanym tonem powiedziała do Filippa:

— Mam straszną ochotę na jeżowce. Idziesz ze mną?

To oznaczało kilometr pieszej wędrówki po piasku, na dodatek w palącym słońcu, aż do Schodów Tureckich*. Filippo odmówił i spojrzał na mnie. Uświadomiłem sobie, że Bice przewidziała jego reakcję. Wyciągnąłem z torby nóż i poszliśmy. Kie-

---

* Klif wapienny o charakterystycznym kształcie, znajdujący się w okolicy Porto Empedocle w prowincji Agrigento.

dy tylko znaleźliśmy się poza polem widzenia, zaczęliśmy biec, pożądanie paliło bardziej niż słońce. Plaża była pusta. Padliśmy zdyszani w cieniu skalnej ostrogi z białego marglu.

Przez dwie godziny kochaliśmy się żarłocznie i bez przerwy, nie mówiąc ani słowa, zapominając o jeżowcach, o czasie, o świecie.

Nawet podczas drogi powrotnej nie zamieniliśmy ani słowa. Nie musnęliśmy się nawet rękami. Tego wieczoru tańczyła tylko z Filippem, a w stosunku do mnie znów zachowywała się po przyjacielsku, tak samo jak wcześniej. I tak jak wtedy nie pytałem jej o powody, tak i dziś, po siedemdziesięciu latach, o to nie pytam.

Bianca

Nie może w naszym repertorium zabraknąć nazwiska Bianki Lancii, a powodem tego jest jej króciutka, poruszająca biografia, którą, jak mi się wydaje, czytałem wiele lat temu. Mówię „jak mi się wydaje", gdyż – choć długo jej później szukałem – nie mogłem jej już odnaleźć, a nawet zapomniałem nazwiska autora. Co więcej, historia Bianki w formie, w jakiej pojawia się ona chociażby na stronach Wikipedii, zupełnie nie odzwierciedla tego, co zapamiętałem. Z tego powodu doszedłem do wniosku, że owa biograficzna broszura musiała być wytworem mojej wyobraźni albo nawet snem. Pamięć płata czasem takie figle.

Zacznę od danych oficjalnych.

Bianca jest córką Bonifacego I, hrabiego Agliano i markiza Buscavisse. Brat Bonifacego Manfred II jest wiernym wasalem cesarza Fryderyka II Hohenstaufa, a także jego przyjacielem, co niewątpliwie ma wpływ na to, że cesarz mianuje go w roku 1240 wikariuszem generalnym cesarstwa w Italii, a później dowódcą wojskowym w Asti i Pawii. Kiedy w roku 1225 Fryderyk II żeni się po raz drugi (jego pierwszą żoną była Konstancja Aragońska) z Jolantą Jerozolimską, rodzina Lancia zostaje zaproszona na weselne uroczystości. Wtedy to Bianca nie tylko widzi po raz pierwszy Fryderyka, ale też zakochuje się w nim na zabój i zostaje jego kochanką.

Ich związek trwać będzie długo. Bianca urodzi mu troje dzieci: Konstancję (1230), Manfreda (1232) i Wiolantę (1233). Kochanek oraz zrodzonego z nich potomstwa Fryderyk miał wiele, ale nie ulega wątpliwości, że Bianca była tą ulubioną, dlatego również, że urodziła mu Manfreda, najbardziej kochanego z synów. W roku 1241, po śmierci Izabeli Plantagenet, trzeciej żony Fryderyka, poślubionej sześć lat wcześniej, Bianca otrzymała lenno dołączone do zamku Monte Sant'Angelo. Tu, jak opowiadają, przebywała długo w zamknięciu z powodu chorobliwej zazdrości Fryderyka, który, gdy padał ofiarą ataków zaborczej namiętności, uciekał się do totalnego odosobnienia kochanki.

Historyk Pantaleon wraz z ojcem Bonaventurą da Lama twierdzą, że cesarz podobnie postąpił z Biancą już wcześniej, kiedy to była w ciąży i spodziewała się urodzin Manfreda. Zamknął ją wówczas w zamku Gioia del Colle. Po narodzinach Bianca miała popełnić samobójstwo, obcinając sobie piersi i wysyłając je cesarzowi wraz z noworodkiem. Tylko jak w takim razie mogła począć i wydać na świat Wiolantę, skoro już była martwa?

Inni kronikarze opowiadają, że około 1246 roku Fryderyk poślubił ją potajemnie *in articulo mortis*, gdy Bianca poważnie zachorowała. Piszą też, że w rzeczy samej, umarła ona kilka dni po ślubie. Jednak Salimbene di Adam podaje w swojej kronice zupełnie inną wersję wydarzeń. Opowiada, że Bianca cieszyła się znakomitym zdrowiem, że udała chorobę jedynie w celu nakłonienia cesarza do małżeństwa, a nawet że przeżyła Fryderyka, zmarłego w roku 1250. Krótko mówiąc, usnuła tę samą intrygę co Filumena Marturano, tytułowa bohaterka wspaniałej neapolitańskiej komedii teatralnej pióra Eduarda De Filippo z 1946 roku*. Otóż właśnie fakt, że według Salimbene Bianca przeżyła Fryderyka, prowadzi już bezpośrednio do tej mojej historii, którą czytałem bądź wyśniłem. A oto ona.

W roku 1212 osiemnastoletni Fryderyk, król Sycylii, lecz jeszcze nie cesarz, udaje się do Genui, zabiegając o wsparcie floty morskiej tego miasta. Przebywa tam przez dwa i pół miesiąca, od czasu do czasu odwiedzając Manfreda Lancię w jego piemonckim zamku. To tam właśnie poznaje go Bianca, będąca wówczas jeszcze dzieckiem, i zakochuje się w nim. Kiedy Fryderyk odjeżdża, dziewczynka przyrzeka sobie, że to on zostanie

---

* Sztuka doczekała się kilku adaptacji kinowych. Pierwszą, w 1951 r., reżyserował sam autor. Zainspirowała też lepiej znaną w Polsce komedię filmową *Małżeństwo po włosku* (1964) w reżyserii Vittoria De Sica z Sophią Loren i Marcellem Mastroiannim w rolach głównych.

mężczyzną jej życia. Bianca jest atrakcyjną partią, otrzymuje wiele propozycji matrymonialnych, ale wszystkie odrzuca. Swoje marzenie spełni trzynaście lat później. Fryderyk w pełni odwzajemni jej miłość. Wiersze, które pisze i czyta poetom zatrudnionym w Kurii Królewskiej*, Iacopowi da Lentini i Pierowi delle Vigne, dedykowane są właśnie Biance. A ona pozostanie na zawsze przy jego boku, choć długo cierpieć będzie samotność w zimnych zamkach Monte Sant'Angelo i Gioia di Colle. Po śmierci cesarza Bianca zamyka się w klasztorze, gdzie wiele lat później umiera. Do klasztoru zabiera ze sobą jedynie szkatułkę, w której umieszcza siedem przedmiotów, nie są to jednak kosztowności, lecz rzeczy mające na zawsze przypominać jej o miłości Fryderyka.

Broszura, którą, jak mi się wydaje, czytałem, nie wymienia tych siedmiu przedmiotów. A to właśnie one tak mnie zaintrygowały. Co umieściła w szkatułce? Na pewno wiersze, które Fryderyk dla niej napisał. A oprócz nich?

Może, jako mężczyzna, nigdy nie będę potrafił tego odgadnąć. Trzeba być kobietą, przeżyć wiele lat, kochając i będąc wzajem kochaną przez mężczyznę, którego historycy nazywają „podziwieniem świata", by móc otrzymać, być może, jakąś odpowiedź.

---

* Magna Curia: główny organ sądowniczy trzynastowiecznego Królestwa Sycylii. Fryderyk II często powoływał do niej ludzi kultury i sztuki, kładąc w ten sposób podwaliny pod powstanie ruchu znanego pod nazwą „szkoły sycylijskiej".

Carla

Był to dzień moich dwudziestych ósmych urodzin i z tej okazji pewna miła para moich rówieśników postanowiła zaprosić mnie do siebie na kolację wraz z innymi przyjaciółmi.

Wyszedłem od nich na lekkim rauszu kilka minut po drugiej w nocy i skierowałem się w stronę przystanku nocnego tramwaju. Choć była wspaniała, typowa dla ciepłego rzymskiego września noc, ulice już opustoszały.

Na przystanku czekała dziewczyna. Siedziała na ziemi, oparta plecami o słupek z rozkładem jazdy. Podciągnięte pod samą brodę kolana oplatała ramionami. Głowę miała spuszczoną, nie można więc było zobaczyć jej twarzy, ukrytej zresztą pod długimi blond włosami. Miałem wrażenie, że śpi. Nie poruszyła się nawet wtedy, kiedy metaliczny zgrzyt oznajmił zbliżanie się tramwaju. Podszedłem więc i dotknąłem jej ramienia.

– Proszę się obudzić, już jest tramwaj.

Powoli podniosła głowę. Ogromne błękitne oczy, z których kapały wielkie, ciche łzy. Nic nie powiedziała, nawet nie dała znaku, że zamierza wstać. Przyklęknąłem obok niej.

– Źle się pani czuje?

– Nie.

– W takim razie czemu pani płacze?

– Płaczę? – zapytała szczerze zaskoczona.

Przetarła twarz dłońmi, popatrzyła na nie i wytarła o dżinsy.

– Rzeczywiście – powiedziała. – Nie zauważyłam.

Tramwaj nadjechał, zatrzymał się i ruszył dalej. Beze mnie. Usadowiła się w tej samej pozycji co wcześniej. Skoro nie wsiadłem do tramwaju, nie pozostawało mi nic innego, jak udać się na najbliższy postój taksówek. Nie miałem ochoty czekać kolejnej godziny. Wstałem, ale zatrzymała mnie, nie wykonując przy tym żadnego ruchu.

– Nie odchodź.

Poprosiła mnie o to w taki sam sposób, jak się prosi o papierosa. Bez żadnej szczególnej intonacji głosu. Usiadłem przed nią na brzegu chodnika. Przez chwilę milczała, a potem zaczęła mówić, wciąż skulona i zamknięta w sobie.

– Mam na imię Carla, a ty?

Powiedziałem swoje imię. Natychmiast podniosła głowę i tym razem na mnie popatrzyła.

– Mój pierwszy chłopak tak miał na imię. Bardzo go kochałam. Umarł.

Znów opuściła głowę. Nagle zdałem sobie sprawę z absurdalności sytuacji.

– Słuchaj, Carla – powiedziałem – jestem już trochę zmęczony i chciałbym iść spać. Jeśli chcesz, podwiozę cię.

– Nie pamiętam już, gdzie mieszkam – odpowiedziała – dlatego tu usiadłam. Czekam, aż sobie przypomnę.

– Nie masz portfela, dokumentów, czegoś, co...?

– Nic nie mam. Wszystko zgubiłam. A może mi ukradli. Nie wiem.

Mówiła serio czy żartowała? Ton jej głosu przekonywał mnie, że mówiła prawdę.

– A jeśli nie uda ci się przypomnieć, gdzie mieszkasz, co wtedy zrobisz? Pójdziesz do hotelu?

– Nie mam ani grosza.

– To gdzie myślisz spędzić noc?

– Bo ja wiem...

Podjąłem błyskawiczną decyzję. Zaproponowałem jej, żeby poszła ze mną do domu, powiedziałem, że mieszkam z kolegą, którego właśnie nie ma i wróci dopiero około południa, więc może się przespać w jego pokoju.

– Dobrze. Ale nie chciałabym, żebyś sobie pomyślał, że no... No wiesz, ja nie...

– Rozumiem – odparłem. – Nie musisz się o to martwić.

Wstała i ruszyliśmy do postoju taksówek.

Była wyższa ode mnie, miała figurę modelki. Musiała być

mniej więcej w moim wieku. Od czasu do czasu zwalniała, przystawała, marszczyła brwi, rozglądała się na boki, zagubiona i niepewna. Potem znów ruszała.

Weszliśmy na dosyć ruchliwą aleję, po drugiej stronie znajdował się postój taksówek. Z naszej prawej strony szybko nadjeżdżał samochód. Zatrzymaliśmy się na chodniku, żeby go przepuścić. Nagle Carla, ku memu zaskoczeniu, zaczęła głośno liczyć:

– Raz... dwa i... trzy!

Na trzy wskoczyła na ulicę i rzuciła się w stronę samochodu. Przerażony zamknąłem oczy. Zamiast straszliwego odgłosu głuchego uderzenia, którego się spodziewałem, usłyszałem jedynie rozpaczliwy pisk opon. Otworzyłem oczy i zdążyłem jeszcze zobaczyć, że kierowcy udało się ją ominąć o włos i jechał dalej.

Carla dalej stała nieruchomo na środku jezdni, nadjeżdżały inne samochody. Dobiegłem do niej, ale musiałem ją niemal ciągnąć za sobą, żeby przeszła na pas zieleni między jezdniami.

– Zwariowałaś?

– Nie.

– W takim razie dlaczego to zrobiłaś?

– Naszła mnie ochota.

Drżałem z przerażenia, ona tymczasem była całkowicie spokojna. W pewnym momencie, już w taksówce, spojrzała na mnie, jakby nigdy wcześniej mnie nie widziała.

– Powiedziałeś, że jak masz na imię?

– Andrea.

– Nie znałam wcześniej nikogo, kto by tak miał na imię. Ja jestem Stefania.

Ale czy nie powiedziała mi, że... Nieważne, dałem spokój.
Kiedy dojechaliśmy do domu, powiedziała po prostu:

— Chcę wody.

— Chcesz się napić?

— Nie, chcę wody na mnie.

— Chcesz wziąć prysznic?

— O właśnie, brakowało mi słowa.

Pokazałem jej najpierw pokój, a potem łazienkę. Wróciłem
do siebie. Po kwadransie stanęła przede mną, całkowicie naga
i ociekająca wodą. Widok zapierał dech w piersiach.

— Nie wiem, jak zatrzymać wodę.

Poszedłem zakręcić kurek. Nie wytarła się, poszła do łóżka,
nie mówiąc nawet dobranoc. W łazience zostawiła ubrania.
Przeszukałem dokładnie jej markowe dżinsy. Wszystkie kieszenie były puste, miała tylko chusteczkę do nosa.

Spałem głęboko. Kiedy się obudziłem, była dziesiąta. Przy-
pomniałem sobie o Carli czy też Stefanii. Wstałem, poszedłem
do jej pokoju. Tylko niezasłane łóżko. Sprawdziłem w łazience,
jej ubrań nie było. Poszła sobie.

Zauważyłem, że moje spodnie, które w nocy powiesiłem
na drzwiach łazienki, leżą na podłodze. Kiedy je podniosłem,
zobaczyłem pod nimi mój portfel. W środku, wiedziałem to
bardzo dobrze, były moje ostatnie, żałosne cztery tysiące lirów.
Teraz już tylko trzy tysiące.

Carmela

Albo elegia na cześć moich łez siedemnastolatka.

Film, który tego wieczoru 1942 roku wyświetlało jedyne kino w moim miasteczku, zatytułowany był *Carmela*. W roli głównej występowała Doris Duranti.

W tamtych czasach samo to nazwisko wystarczyło, by zapełnić sale. Rok czy dwa lata wcześniej Duranti grała w kinowej adaptacji słynnej tragedii *La cena delle beffe* Sema Benellego i w jednym krótkim ujęciu odważnie pokazała się z odsłoniętym biustem. Pierwszy raz coś podobnego wydarzyło się we Włoszech czasów faszystowskiej surowości. Przeto nadzieja, że diva powtórzy wyczyn, była powszechna, choć daremna.

Również tego wieczoru moich ziomków spotkało rozczarowanie i widok udrapowanej tkaniny zasłaniającej istotę rzeczy sprawił, że wielu opuściło salę.

Ja zostałem, oczarowany nie tylko samą historią, ale też wspaniałością obrazu i dobrą grą samej Duranti. Film reżyserował Flavio Calzavara, a scenariusz – co było dla mnie dużym zaskoczeniem – powstał na podstawie opowiadania Edmonda De Amicis. Dla mnie De Amicis był tylko autorem durnej książki *Serce* i nikim ponadto.

Tu tymczasem mieliśmy do czynienia z opowieścią o pięknej i skromnej dziewczynie mieszkającej na wyspie położonej niedaleko brzegów większej wyspy, Sycylii. Innymi słowy, o młodości skazanej na izolację. Dziewczyna zakochuje się w oficerze dowodzącym miejscowym garnizonem i zaręcza się z nim. Jednak oficer porzuca ją, kiedy tylko otrzymuje przeniesienie. Carmela, znów osamotniona, powoli popada w obłęd. Niczym żaglówka bez sternika, powoli wypływająca na wielką wodę, ledwie muśnięta słabym podmuchem wiatru. Słodkie, melancholijne szaleństwo. Jednak nowy młody oficer, który przybywa do garnizonu, aby zastąpić przeniesionego kolegę, przejmuje się losem Carmeli. Także on zakochuje się w pięknej i delikatnej dziewczynie i dzięki zainscenizowaniu czegoś w rodzaju domowej psychodramy udaje mu się przywrócić jej zmysły. *Clou* owego przedstawienia w wykonaniu oficera była śpiewana przez niego piosenka, której pierwszą zwrotkę wciąż świetnie pamiętam:

Carmelo, w twą kibić wtulony
Błogich mych dni nie zliczę.
W głębię twych oczu wpatrzony,
całując twoje oblicze,
spędzę resztę mych dni.

Na koniec, jak to bywa w pięknych baśniach, odbywa się ślub Carmeli i oficera. Happy end najbardziej oczywisty ze wszystkich. Czemuż w takim razie płakałem? Muszę zaznaczyć, że dopiero w podeszłym wieku zapisałem się do potężnej partii tych, którzy wybuchają płaczem w kinie. Jest takich bardzo wielu, znam nawet aktorów, którzy wylewają łzy niczym fontanna, kiedy oglądają tragiczne sceny z własnym udziałem: najlepszym tego przykładem jest Omar Sharif.

Nie pamiętam, bym płakał w ten sposób przed siedemdziesiątką – z tym jednym wyjątkiem. Nie wzruszyła mnie historia, lecz przejmująca, delikatna, piękna i wzburzona twarz Doris Duranti w chwilach szaleństwa, będącego z pewnością skutkiem utraconej miłości, ale też przede wszystkim ponownej, jeszcze bardziej dolegliwej samotności.

Na widok tej twarzy także w moim wnętrzu rozegrała się psychodrama i w jednej chwili pojąłem, że moje niepokoje, melancholie i niezrównoważenia są skutkiem nie tyle młodego wieku, ile przeczucia czy raczej lęku, że skończę tak samo jak Carmela, że nie uda mi się wyrwać z izolacji, na którą czułem się skazany. I tego właśnie wieczoru podjąłem decyzję, że prędzej czy później porzucę moją ziemię.

Carmen

Libretto słynnej opery Bizeta napisało dwóch znanych autorów, zawsze pracujących wspólnie, Henri Meilhac i Ludovic Halévy. Nie jest jednak dziełem oryginalnym: libreciści oparli je na noweli pod tym samym tytułem, którą trzydzieści lat wcześniej, około połowy XIX wieku, stworzył pisarz i autor dzieł dramatycznych, Prosper Mérimée.

Jeśli dobrze pamiętam, owoc trudów Bizeta planowano przedstawić publiczności w świątyni francuskiej liryki, l'Opéra Garnier, ale w teatrze trwały jeszcze prace remontowe po pożarze, który zniszczył budynek, dlatego prapremierę przeniesiono do przybytku, by tak rzec, mniejszego kalibru, l'Opéra-Comique.

Gdy jednak w 1873 roku dyrektor tego przybytku, surowy monsieur de Leuven, zaczyna z pewnym roztargnieniem przeglądać libretto Meilhaca i Halévy'ego, dosłownie wpada w osłupienie. Wyraża duże zastrzeżenia co do stosowności spektaklu, twierdząc, że postać kobieca tak wolna i tak buntownicza – używa nawet przymiotnika „gorsząca" – jak Carmen z pewnością oburzy porządne mieszczańskie rodziny, które zwykły regularnie odwiedzać jego teatr.

Jakby nie dość tego, gorącokrwista Carmen zostaje zadźgana nożem przez zazdrosnego kochanka! Jak daleko sięga pamięć wszystkich dyrektorów tego teatru, nigdy jeszcze nie widziano, aby na owej chwalebnej scenie główny bohater ginął w sposób tak okrutny. Czy panowie libreciści, a wraz z nimi również kompozytor, nie mogli wysilić się odrobinę bardziej i wymyślić mniej krwawego finału?

Po długiej przepychance de Leuven uznał, że najlepszym wyjściem będzie podanie się z godnością do dymisji. Jego następca, pan du Locle, dał autorom wolną rękę, choć i on wyraził wiele wątpliwości.

Operę wystawiono w roku 1875 i – nie mogło być inaczej – rezultat spotkał się z gwałtowną krytyką.

Kobieta tak „gorsząca" jak Carmen przerażała. Choć byli i tacy, którzy zwracali uwagę, że śmierć od noża była w gruncie rzeczy sprawiedliwą karą za jej rozwiązłe życie. Niech kobiety wyciągną z tej historii odpowiednie wnioski. Niech będzie ona dla nich takim samym zbawczym katharsis jak grecka tragedia.

Nikt jednak nie mógł wówczas przewidzieć, jak płodna okaże się krew Carmen.

Na scenach świata rozkwitnie bowiem ogród postaci kobiecych znacznie bardziej niebezpiecznych niż cygańska pracownica fabryki cygar.

Poczynając od Nory Helmer, bohaterki dramatu Ibsena pod tytułem *Dom lalki* (1879), która porzuca męża i dostatek, by ochronić swoją moralną niezależność.

Ale jak to? Kobieta, której oddany mąż nie odmawia niczego, która żyje otoczona luksusem, która mieszka w miejscu tak pięknym, że wydaje się domem lalek, opuszcza małżeńskie stadło z powodu wydumanych duchowych zachcianek? Gdyby zostawiła męża dla kochanka, dałoby się to jeszcze jakoś zrozumieć. I jakoś temu zaradzić. Ale tak, bez prawdziwego, konkretnego powodu...

Dzieło Ibsena długo interpretowano jako manifest feministyczny, lecz autor, być może w celu uchylenia się od odpowiedzialności, podczas odczytu wygłoszonego w pewnym kółku kobiecym oznajmił, że miał jedynie zamiar przedstawić problem wzajemnej lojalności małżonków.

Przykład Nory uznano za niebezpieczny, gdyż mógł wzbudzić w kobietach pragnienie autonomii myślenia, niezależności od systemu rządzącego się myślą jedyną, to jest myślą mężczyzny będącego głową rodziny. Aby uniknąć ryzyka zarażenia, w niektórych państwach nieeuropejskich udzielano zgody na wystawienie sztuki pod warunkiem dodania do finału sceny, w której skruszona Nora wraca do domu i prosi męża o wybaczenie.

A co powiedzieć o Heddzie Gabler, innej bohaterce Ibsena, która zrywa cienką nić rodzinnych kompromisów, utkaną przez nią i wokół niej, zabijając się strzałem z pistoletu? „Boże miłosierny! Nie robi się takich rzeczy!"* – to ostatnie zdanie dramatu wypowiada człowiek, który szantażował Heddę na tle seksualnym. Z całym prawdopodobieństwem wyrażało ono myśli większości widzów.

A później, w roku 1888, nadchodzi panna Julia z jednoaktówki Strindberga o tym samym tytule, która w noc świętojańską nie potrafi oprzeć się potędze zmysłów i uwodzi lokaja Jeana.

To jakieś żarty? Czy to możliwe, żeby kobieta nie umiała powściągać swych instynktów i sama siebie okrywała hańbą, oddając się pierwszemu z brzegu, nie biorąc pod uwagę swego stanu społecznego, który pociąga za sobą obowiązki i reguły do przestrzegania? Skoro tak się zaczyna, gdzie się skończy?

Odpowiedź, z pewnością nienależącą do uspokajających, zdaje się dawać kilka lat później Frank Wedekind w dramacie *Puszka Pandory*. Jego główna bohaterka, Lulu, jest doskonałym uosobieniem seksu rozumianego jako środek do osiągnięcia władzy. Nieuchronnie wciąga w wir zmysłów każdego napotkanego mężczyznę, aż wreszcie sama ginie zamordowana przez Kubę Rozpruwacza.

Na szczęście pod koniec stulecia pojawi się we Francji i szyb-

---

* W tłumaczeniu Walerii Marrené.

ko rozprzestrzeni na inne kraje moda na rozrywkę w stylu Bal Tabarin* i wodewil.

Kobiety znów będą wielbione za ich z wdziękiem pokazywane wdzięki, a nie za niebezpieczny intelekt.

Dzięki temu zacni mieszczańscy widzowie będą mogli znów spać spokojnym snem.

A ja, skończywszy pisać te zdania, zamiast zwyczajowego papierosa, tym razem zapalę sobie cygaro.

Na cześć Carmen, ma się rozumieć.

---

* Drugi, obok Moulin Rouge, słynny paryski kabaret, działający w latach 1904–1953.

Desdemona

Otello, przyjęta z zachwytem tragedia Szekspira, gdy się ją czyta, jest po prostu jednym wielkim galimatiasem. Mnóstwo tam niezgodności czasowych, charakterologicznych i psychologicznych. Badacze dokonywali cudów ekwilibrystyki, by je wszystkie pogodzić: bez skutku. Wszystkie te ułomności znikają jednak jak za dotknięciem czarodziejskiej różdżki, kiedy tylko od lektury przechodzimy do przedstawienia scenicznego.

Zdecydowana większość krytyków definiuje dzieło jako „tragedię o zazdrości".

Ale czy naprawdę tak jest?

Jak wiadomo, inspiracją dla Szekspira była siódma nowela

z trzeciej *deca* (dziesiątki) zbioru *Ecatommiti* pióra włoskiego pisarza Giovana Battisty Giraldiego zwanego Cinzio. Nie wiemy, czy Szekspir czytał ją w oryginale, czy może w przekładzie francuskim. Rzecz ciekawa, Cinzio nie nadaje żadnych imion postaciom ze swojej noweli, czyniąc jedyny wyjątek właśnie dla Desdemony. A więc imiona pojawiające się w szekspirowskiej tragedii: Otello, Iago, Brabantio czy Rodrigo, wszystkie one są dziełem fantazji tragediopisarza.

Cóż jednak każe mu uczynić bohaterem sztuki „the Moor of Venice", Maura z Wenecji, czyli człowieka o czarnej skórze?

Prawdopodobnie istniały dwa historyczne pierwowzory bohatera noweli Cinzia: patrycjusz Cristoforo Moro, gubernator Cypru, i tak zwany „czarny kapitan", który swój przydomek zawdzięczał ciemnej karnacji, ale pochodził z południa Italii i nazywał się Francesco da Sessa.

Tymczasem Szekspir uczynił z niego – i to rozmyślnie – autentycznego Maura. Walecznego generała republiki weneckiej, który opowiadaniem o swych heroicznych dokonaniach uwodzi młodziutką córkę senatora Brabantia i potajemnie ją poślubia.

Kiedy przybywa senator, brutalnie powiadomiony przez Iaga o ślubie („my tu gadamy, a twoją | Białą owieczkę tryka czarny baran"*), porusza niebo i ziemię i określa ten związek zdradą

---

* W. Shakespeare, *Otello, Maur wenecki*, przeł. Stanisław Barańczak, W Drodze, Poznań 1993, s. 12.

krwi*. Sądzę, że w tym zdaniu mieści się jądro tragedii. Wrócę do tego na końcu.

Brabantio oskarża Otella o zawładnięcie umysłem córki, o pozbawienie jej woli za pomocą nieznanych napojów miłosnych i magicznych zaklęć. Także tutaj rasistowskie aluzje są więcej niż oczywiste: Otello zostaje przedstawiony jako ktoś w rodzaju czarnoksiężnika, kto we krwi ma rzucanie uroków.

Senator przedstawia sprawę radzie pod przewodnictwem doży, jednak przybycie posłańca oznajmiającego rychły atak Turków na Cypr przekonuje zebranych, by natychmiast wysłać z odsieczą Otella, któremu ma towarzyszyć nowo poślubiona Desdemona.

I tu, z konieczności, zaznaczyć trzeba jedną z niespójności. Od wylądowania pary na Cyprze do końca tragedii mija zaledwie trzydzieści sześć godzin, zbyt mało, by – biorąc pod uwagę wszystkie rozgrywające się w tym okresie wydarzenia – Desdemona i jej domniemany kochanek Cassio mogli znaleźć sposobność, by dać sobie nawzajem jakieś oznaki uczucia, nie mówiąc już o spotkaniu na osobności.

Zaślepiony przez zazdrość podsycaną insynuacjami Iaga Otello (który swoją drogą nie może być tak zrównoważonym umysłem, za jaki uchodzi) traci wszelką zdolność logicznego myślenia. I to można zrozumieć.

Ale czemuż Desdemona nie broni się przed oskarżeniami za

---

* W oryginale: „O treason of the blood". W tłum. S. Barańczaka: „Tak zdradzić własną krew!", *ibidem*, s. 16.

pomocą narzędzi logicznego myślenia? Jeśli nie po to, by skłonić do myślenia niezdolnego już do używania rozumu Otella, to przynajmniej by skutecznie odeprzeć zarzuty.

Spróbuję wyjaśnić. Nie ma na świecie kobiety, która oskarżona przez męża o zdradę, broniłaby się, nie broniąc, jak to w gruncie rzeczy czyni Desdemona. To zachowanie w naturalny sposób obraca się przeciwko niej, wzmagając podejrzenia Otella.

Kiedy ten mówi, że zamierza ją zabić, jej odpowiedź brzmi: „Boże, zmiłuj się nade mną!"*.

Kiedy Otello wyrzuca jej, że widział w ręku Cassia chusteczkę, którą jej podarował na znak miłości, Desdemona odpowiada, że może Cassio ją znalazł. Co może i jest prawdą, ale powiedziane w ten sposób, wydaje się kłamstwem.

Gdy zaś Otello oskarża ją o wiarołomstwo i zdradę, ona zadaje pytania typu „kogóż", „w czym" i „dla kogo". Ani razu nie pyta: „kiedy". Na to pytanie Otello nie potrafiłby odpowiedzieć, albowiem na zdradę nie było czasu.

To bierne zachowanie Desdemony, nieświadomie przyczyniającej się do własnej śmierci, zawsze mnie intrygowało.

Może wyjaśnienie znajduje się w kwestii wypowiedzianej przez nią podczas pierwszej, gwałtownej sceny zazdrości, kiedy to mówi do męża:

„Jeśli ojciec stracił już na zawsze | Serce do ciebie – mnie na zawsze stracił"**.

---

* *Ibidem*, s. 177.
** *Ibidem*, s. 146.

Desdemona świadoma jest tego, że dla miłości popełniła tę zdradę krwi, o której z oburzeniem wołał jej ojciec, Brabantio. To małżeństwo pociągnęło za sobą wyobcowanie bliskich, rozpad przyjaźni, związków, sympatii. Desdemona doskonale wie, że po powrocie z cypryjskiej pauzy do Wenecji ten związek, który nie powinien był zaistnieć, znów stanie się przedmiotem awantur i sprzeczek.

Krótko mówiąc, Desdemona wyczuwa, że jej małżeństwo z Otellem, z czarnym, obarczone jest ogromnym ryzykiem zniszczenia, w ten czy inny sposób.

Biernie poddaje się więc śmierci i dopiero w ostatniej chwili jej młodość odezwie się w odruchu sprzeciwu, ale wtedy jest już za późno.

Nie, to nie jest dramat zazdrości Otella.

Ten dramat kryje za sobą jeszcze jeden, większy: zdradę krwi. I dopiero wtedy wszystko staje się jasne.

Desdemona składa samą siebie w ofierze, aby jej śmierć wynagrodziła społeczeństwu popełnioną zdradę.

A gdyby naprawdę się upierać przy temacie zazdrości, to prawdziwą ofiarą jest moim zdaniem nie Desdemona, tylko Otello. Tragedia zazdrości należy do Iaga. Czyni on to, co czyni, bo jest zazdrosny o Cassia, którego Otello faworyzuje, i zazdrosny jest o samego Otella, który, jak się wydaje, cieszy się łaskami jego żony, Emilii.

Ale w tym miejscu musiałbym otworzyć zupełnie nowy temat.

Desideria

Jedna rzecz nazwać córkę Desirée albo Desiderata, lecz nazwać ją Desideria – całkiem inna. Jeśli nie błądzę, Desiderata oznacza być pożądaną, upragnioną przez innych, a Desideria (liczba mnoga, rodzaj nijaki) – mieć wiele różnych pożądań, swoich własnych. Jako ojciec wystrzegałbym się nadawania tak mało bezpiecznego imienia noworodkowi, który pewnego dnia stanie się dziewczyną, kobietą i żoną.

Na szczęście, w miarę jak dorastają, córki (by już pozostać przy rodzaju żeńskim) często wyrzekają się swych chrzcielnych imion, które chciały, by były na przykład Grazią, Bellą (piękną) czy Sereną (pogodną), stając się, odpowiednio, uosobieniami ordynarności, brzydoty i histeryczności.

Desideria, którą znałem, była pożądana przez wszystkich i nie żywiła krzty pożądania wobec niczego.

Była przepiękna, pełna takiego wdzięku i subtelności, że wielu uważało, iż zawdzięcza je długiej, wielowiekowej destylacji błękitnej krwi. Ona tymczasem była jedynym dzieckiem ambitnego i prawdopodobnie niewykształconego winiarza, który posyłał ją do drogich szwajcarskich szkół z internatem.

Po kilku miesiącach widywania się z nią uświadomiłem sobie, że zgiełk świata docierał do niej niczym szum niby-morza, który słychać, gdy się przyłoży ucho do otworu dużej muszli.

Życie, to, co w nim dobre, i to, co złe, potrafiło ją co najwyżej obmywać z wierzchu.

Nie było to zachowanie wyuczone, lecz wrodzona niezdolność do postrzegania rzeczywistości.

W oczach kręcących się wokół niej chłopaków odczytywałem pragnienie poważniejszego postarania się o jej względy i jednocześnie bezradną niewiedzę, od czego zacząć.

Czuli, że Desideria, nawet jeśli potrafiła określić każdego z nich właściwym imieniem, nie była już w stanie pójść dalej, poznać ich naprawdę, przeniknąć przez fizyczne rysy twarzy w głąb ich osobowości.

Ja tymczasem niemal natychmiast wyczułem odpowiedni sposób postępowania z nią. Nigdy jej nie pytałem: „Chciałabyś pójść ze mną do kina?", tylko po prostu mówiłem, tak by mnie inni nie słyszeli: „Jeśli nie masz innego zajęcia, chodź ze mną dziś do kina".

To nie było tożsame z wprawianiem w ruch maszyny, ponieważ gdybym ją zapytał, czy ma ochotę iść do kina, z pewnością odpowiedziałaby „nie".

Jeszcze raz powtórzę: nigdy nie słyszałem, by wyrażała jakiekolwiek, najmniejsze nawet pragnienie. Przyjmowała to, co jej ofiarowano, a jeśli nie miała ochoty, odmawiała grzecznym ruchem głowy. Nie wykazywała inicjatywy nawet w sytuacjach, które mogły jej zaszkodzić. Jak wtedy, nad morzem.

Wybraliśmy się razem: ona, ja i nasz wspólny przyjaciel Mario. Usadowiliśmy ją gdzieś z brzegu, przy granicy przestrzeni osłonionej plażowym parasolem. Później musiałem gdzieś pójść i nie było mnie parę godzin. Kiedy wróciłem, Desideria leżała w pełnym słońcu, a jej skóra zrobiła się czerwona. Całkiem się spiekła.

– Dlaczego jej nie kazałeś zmienić miejsca?

– Zapytałem ją, czy chce się przenieść, i odpowiedziała, że nie.

Niewłaściwie sformułował wypowiedź.

– Schowajże się do cienia! – krzyknąłem na nią.

Usłuchała natychmiast, posyłając mi spojrzenie pełne wdzięczności.

Ci, którzy ją znali, wyrażali różne opinie na temat jej osobowości. Niektórzy uważali, że jest po prostu głupia, inni, że to nieszczęśnica sparaliżowana przez nienaturalnie wielką nieśmiałość, jeszcze inni sądzili, że owo wspaniałe ciało zupełnie pozbawione jest duszy. Jeden z kolegów, znawca i miłośnik Dantego, nadał jej przydomek Belakwa, pochodzący od postaci występującej w *Boskiej Komedii*, duszy siedzącej u stóp góry Czyśćca, która pozostaje tam na wieki, nie podejmując wspinaczki na szczyt z powodu lenistwa czy może opieszałości.

Żaden z nich nie miał racji. Desideria wcale nie pragnęła być taka, jaka była.

Kiedyś wybraliśmy się całą paczką na weekend do Viterbo. Wieczorem Mario, który nauczył się ode mnie, jak z nią postępować, szepnął do Desiderii:

– Nie zamykaj drzwi na klucz.

Spojrzała na niego ze zdziwieniem i nic nie odpowiedziała. Kiedy Mario upewnił się, że wszyscy już śpią, ostrożnie przeszedł przez korytarz, podszedł do jej drzwi, nacisnął klamkę, otworzył, wszedł, zamknął drzwi za sobą.

Wnętrze lekko oświetlała uliczna latarnia. Desideria w nocnej koszuli siedziała na krześle. Czekała na niego.

Mario podniósł ją, zdjął z niej koszulę, kazał położyć się na łóżku.

– Obejmij mnie.

Desideria go objęła.

– Pocałuj mnie.

Desideria go pocałowała.

Mario nagle się zerwał. W jednej chwili poczuł się podle, wszystko to zaczęło wyglądać na swego rodzaju gwałt.

Nachylił się, pocałował ją w czoło.

– Przepraszam. Dobranoc – powiedział.

– Dobranoc – odpowiedziała cicho.

Dwa lata później Desideria wyszła za Tullia, mojego przyjaciela, dobrze urodzonego, zamożnego i przeraźliwie w niej zakochanego.

To ja zdradziłem mu tajemną metodę postępowania, by skłonić ją do powiedzenia „tak". Długo jednak musiał mnie o to prosić.

Desideria umarła w połogu, wydając na świat swojego pierwszego i jedynego syna.

Po pogrzebie Tullio wziął mnie na stronę.

– Wiesz co? – wyjąkał wstrząsany szlochem. – To ona chciała tego dziecka. To była jedyna rzecz, o którą mnie poprosiła przez całe nasze małżeństwo. Nie chcę od ciebie ubrań ani biżuterii, powiedziała mi przy naszym pierwszym razie, chcę tylko syna.

Elvira

Dwie Elviry, które dzieliło wiele, wiele lat, miały fundamentalny wpływ na moje życie. Pierwszą była moja babka ze strony matki, Elvira Capizzi in Fragapane. Potrafiła rozbudzić moją wyobraźnię i przez długi czas pomagała mi ją ćwiczyć.

Babcia najzwyczajniej w świecie zwykła rozmawiać z przedmiotami. Czasem w dialekcie, niekiedy w różnych i całkowicie wymyślonych językach, ponieważ, jak mi wyjaśniała z najwyższą powagą, krzesło nie mówi tak samo jak fortepian albo jak garnek.

Pewnego razu w naszym domu na wsi, zaraz po obiedzie, gdy wszyscy już odeszli od stołu, a ona jedna pozostała na swoim miejscu, usłyszałem, jak rozmawia w dialekcie ze starą solniczką z cienkiego szkła.

– Ile masz lat, solniczko? Dwieście? Tak? Widziałaś, jak umiera mój pradziadek, mój dziadek, mój ojciec? Tak? A teraz co robisz? Nie patrzysz ty aby na mnie i nie czekasz, aż i ja umrę? Tak? A ja ci tej satysfakcji nie dam! Chwyciła solniczkę i wyrzuciła ją przez balkonowe okno na podwórze.

Często, zwracając się do swoich dzieci albo do mnie, włączała do zrozumiałej mowy wymyślone słowa, zazwyczaj przepięknie brzmiące, i musieliśmy się domyślić, co oznaczały.

Albo też zmieniała znaczenie słów. Bardzo lubiła wypiekać osobiście w wielkim *forno a legna*, opalanym drewnem piecu, chleb z pszenicy typu durum. Wystarczał dla całej rodziny na tydzień. Ona zaś z absolutną dezynwolturą obwieszczała:

– *Domani mattina andrò a fornicare.* – Jutro rano pójdę cudzołożyć.

Oczywiście doskonale znała prawdziwe znaczenie kluczowego czasownika, ale świetnie się bawiła grą słów *forno – fornicare*, stosując ją do swoich poczynań z piecem. Do dzieci należał już obowiązek wytłumaczenia ewentualnym oniemiałym z zaskoczenia gościom, co w istocie zamierza robić ich matka następnego poranka.

Jeśli przychodziła mi ochota, żeby bawić się we fryzjera, i pojawiałem się przed nią z ojcowskimi przyborami do golenia, odbierała mi tylko brzytwę, dając w zamian tępy nóż. Siadała natychmiast na krześle, pozwalała założyć sobie ręcznik na szyję i mówiła:

– Dobrze, a kiedy mnie już ogolisz, podetnij mi jeszcze włosy.

Kiedy indziej, byliśmy wtedy na wsi, chciałem się bawić w strażaka. Nawet przez chwilę nie wahała się zapalić w korytarzu wielkiego ogniska, którego nie potrafiłem zgasić, a ogień zaczął się rozprzestrzeniać. Na szczęście w porę nadbiegł z pomocą jej syn Massimo z jakimś wieśniakiem. Pamiętam, że bawiła się wtedy znacznie lepiej ode mnie.

Pewnego dnia wskazała na kota wylegującego się na jej kolanach.

– Nie masz wrażenia, że się wyszczerza?

Nie myliła się, co potwierdziłem.

– A wiesz, że może istnieć wyszczerzony uśmiech bez kota?

– Naprawdę?

W ten sposób wprowadziła mnie we wspaniały świat *Alicji w krainie czarów*. Uwielbiała tę książkę, zupełnie obcą naszej włoskiej kulturze. Zostaliśmy wspólnikami, tylko my dwoje potrafiliśmy ją zrozumieć i w tajemnicy nazywaliśmy przyjaciół domu i członków rodziny imionami bohaterów powieści. Ktoś był dla nas Szalonym Kapelusznikiem, kto inny Marcowym Zającem...

Chodziliśmy razem na długie spacery po okolicy. Zatrzymywaliśmy się co krok, gdyż babcia przedstawiała mi (z imienia i nazwiska, ma się rozumieć) to świerszcza, to jaszczurkę, to jakiegoś owada i opowiadała mi ze szczegółami ich życiorys. Czarowała mnie i pytała:

– A teraz, kiedy już ci opowiedziałam o świerszczu, który się nazywa Arturo Cocò, co mi opowiesz o twoim braciszku Giacominie?

Była głęboko wierząca, ale gotowa zrozumieć i usprawiedliwić cudze grzechy i błędy. Nigdy nie opowiadała mi ani o Bogu, ani o religii. Mówiła jedynie:

– Staraj się być zawsze uczciwy wobec samego siebie.

Była pierwszą czytelniczką moich wierszy, oczywiście naiwnych i szkolnych. Nie podobały się jej.

– Pisz tak, jak ci dyktuje serce.

Nie zadedykowałem jej żadnej z moich książek. Może dlatego, że wiem, iż to ona je pisała wraz ze mną.

Ta druga to Elvira Sellerio. Kiedyś po jej śmierci powiedziałem, że nasza przyjaźń nie należała do tego rodzaju relacji, które rodzą się między wydawcą a pisarzem. Jestem pewien, że zostalibyśmy przyjaciółmi nawet wtedy, gdybym handlował artykułami gospodarstwa domowego. W 1984 roku Elvira opublikowała *La strage dimenticata* (Zapomniana masakra), moją pierwszą książkę w jej wydawnictwie – druga, zatytułowana *Sezon łowiecki*, wyszła w 1992. Te osiem lat przerwy odpowiada okresowi mojego milczenia jako powieściopisarza.

To właśnie w tych latach nasza przyjaźń rozwinęła się i umocniła. Dwa albo trzy razy do roku jeździłem do mojej rodzinnej miejscowości na Sycylii i tak organizowałem podróż, by zarówno po przyjeździe, jak przed odjazdem, zatrzymać się w Palermo i spędzić z nią przynajmniej pół dnia.

Po tym, jak się do mnie uśmiechała, kiedy tylko wchodziłem

do jej pokoju, poznawałem, jak bardzo jestem jej bliski. Ja zaś jedynie przed nią otwierałem się czasami tak, jak przed nikim innym. Ileż to moich dobrze zamaskowanych niepewności, lęków i niezdecydowań poznała! A ja za każdym razem wyjeżdżałem od niej pełen otuchy i nowych sił.

Potem zacząłem zwracać się do niej poufałym „Elvirù", a ona zaczęła nazywać mnie „mój przyjaciel od serca".

Przez te lata nigdy nie zapytała, kiedy przyniosę jej kolejną książkę do wydania. Dopiero po tym, jak obejrzała mój spektakl pod tytułem *Il trucco e l'anima* na podstawie trzech wierszy Majakowskiego, popatrzyła na mnie i powiedziała:

– Myślę, że teraz już jesteś w stanie znowu pisać.

Wszystko zrozumiała. Rzeczywiście, tamten spektakl był moim sekretnym pożegnaniem z teatrem.

Zawsze uważałem ją za najdoskonalszy przykład tego, co najlepsze w sycylijskich kobietach. Powściągliwa, wytrwała, stanowcza, przekonana do własnych idei i gotowa o nie walczyć, a jednocześnie łagodna, wielkoduszna, wyrozumiała, niezmiernie wrażliwa.

Właściciele rzymskiego domu, w którym mieszkałem od ponad dwudziestu lat, postawili mnie przed jasnym wyborem: albo zakup za siedemset milionów lirów, albo eksmisja.

Oboje z żoną byliśmy już emerytami, nie mieliśmy wyboru. Kiedy dowiedziała się o tym Elvira, zatelefonowała do mnie.

– Dam ci te pieniądze – powiedziała prosto z mostu.

Wiedziałem, że nie tylko sama ich nie miała, ale też że jej wydawnictwo było na krawędzi bankructwa.

– Jak to zrobisz, skoro sama tyle nie masz?

– Nie mam, to prawda, ale znajdowanie pieniędzy łatwo mi przychodzi.

Musiałem stoczyć całą bitwę, by odstąpiła od tego zamiaru.

Niedługo później, na szczęście moje, Elviry i wydawnictwa, na horyzoncie pojawiła się sylwetka komisarza Montalbano.

Francesca

Poznałem ją, kiedy była olśniewającą trzydziestolatką, robiącą karierę w biznesie jako dyrektor fabryki. Wówczas, z górą pięćdziesiąt lat temu, takie kobiety były we Włoszech rzadkością.

Mediolanka, córka Włocha i Niemki, wyszła za mąż wkrótce po ukończeniu studiów chemicznych i jej bogaty mąż, Giovanni, właściciel wielu przedsiębiorstw, umieścił ją na czele jednego z nich, dużego zakładu produkującego perfumy i olejki zapachowe destylowane z sycylijskich cytrusów, które eksportowano na cały świat.

Giovanni zrobił to nie dlatego, że wyczuł zdolności menedżerskie swej żony, ale dlatego, że był w niej zakochany po uszy i nieba by jej przychylił. Taki już był Giovanni: zakochiwał się szaleńczo w jakiejś kobiecie na okres wahający się od jednego do trzech lat, po czym wariował dla nowej miłości.

Jednak w przypadku Franceski popełnił błąd (a może i nie), żeniąc się z nią, więc kiedy on w pogoni za nowymi miłościami uciekł najpierw do Australii, a potem do Ameryki Południowej, ona pozostała szefową przedsiębiorstwa.

Francesca od czasu do czasu szukała pocieszenia w czyichś ramionach. Dla mnie przeznaczyła rolę przyjaciela od serca, wyłączając mnie definitywnie z działalności pocieszycielskiej.

W ciągu trzech lat wymyśliła takie ilości chemicznego diabelstwa, że zapewniła przedsiębiorstwu doskonałe zyski i mogła sobie pozwolić na nowe inwestycje. Zwiększyła produkcję i rozbudowała fabrykę.

Jej widok, kiedy tak krzątała się w laboratoriach w białym fartuchu, wzbudzał respekt: wysoka, piękna blondynka ze spiętymi w kok włosami, surowa, uważna, sprawiedliwa w naganach i pochwałach.

Pracownicy kochali ją na zabój, gotowi wskoczyć za nią w ogień. Pracownice ją szanowały.

Tymczasem za murami fabryki w tajemniczy sposób się przeobrażała, zmieniała wręcz osobowość. Rozpuszczała wspaniałe włosy, sięgające jej do linii bioder, wkładała sukienkę tyleż elegancką, co skąpą i rozszczepiała się. Właśnie tak, rozszczepiała, nie przychodzi mi na myśl inne słowo na opisanie tego, co się z nią działo.

Istniała Francesca trzydziestoletnia, kobieta doświadczona,

świadoma własnego piękna i magnetycznego uroku, zachowującą się w stosunku do swego towarzysza i innych ludzi tak, jak wszyscy tego oczekiwali.

Ale jednocześnie wychodziła z ukrycia inna Francesca, zdolna w sekundzie cofnąć się do wieku najwyżej pięcioletniego dziecka.

Mogę przywołać niezliczone przykłady tego regresu, który tak wiele razy wprawiał w zakłopotanie całe otoczenie.

Podczas wystawnej kolacji w towarzystwie ambasadorów i generałów, gdy nastała chwila ciszy, zwracając się do wszystkich i nikogo, powiedziała na głos:

– Chce mi się siku.

Innym razem, w luksusowej restauracji, kiedy kelner przyszedł zapytać, co chcemy na deser, odpowiedziała:

– Lizaka.

Skonsternowany kelner odpowiedział, że nie brali pod uwagę włączenia lizaków do menu.

– Ale ja chcę lizaka!

– Nie kapryś – powiedziałem jej – kupię ci, jak stąd wyjdziemy.

– Nie, chcę teraz!

I rozszlochała się. Chcąc się szybko pozbyć kłopotu, wysłali kogoś biegiem, żeby kupił jej tego lizaka. Wszyscy pozostali klienci patrzyli na nas i śmiali się. Miałem ochotę zapaść się pod ziemię. Przestała płakać i pociągać nosem dopiero wtedy, kiedy pojawił się zasapany kelner z lizakiem. Polizała raz i powiedziała:

– Nie smakuje mi.

I zostawiła go na stole.

Albo to stanowcze żądanie loda w wafelku na pogrzebie czy wody gazowanej w czasie uroczystej mszy...

I jeszcze jej wybryki na ulicy. Potrafiła wyrwać z rąk dziewczynki lalkę i twierdzić z niewiarygodną, wręcz dziecinną bezczelnością, że należy do niej i że to dziewczynka ją ukradła. Wprawne przywłaszczenie sobie jabłka lub banana leżącego na straganie i zjedzenie go było praktyką codzienną.

Kiedyś podeszła do strażnika miejskiego, momentalnie zdjęła mu nakrycie głowy i uciekła. Strażnik rzucił się za nią, ale musiał zrezygnować z pościgu, Francesca była znacznie szybsza. Później, odwiedziwszy ją w domu, zapytałem, czemu to zrobiła. Zdążyła już zapomnieć o całej sprawie.

– A, rzeczywiście. Dostał ją ode mnie Maurilio, będzie do niego pasować.

Maurilio to była jej mała mówiąca papuga.

Carlo, mój przyjaciel, a przez parę miesięcy jej pocieszyciel, zwierzył mi się, że w sprawach intymnych charakteryzowała się niewyobrażalną zmysłowością. Zanim poszła do łóżka, spędzała ponad godzinę w łazience. Myła się długo pod prysznicem, potem obwąchiwała całe ciało i znów wracała pod prysznic. Powtarzała tę operację trzy albo cztery razy. Na koniec perfumowała się jakimś drogim francuskim pachnidłem, za którym Carlo nie przepadał.

– Czemu się tak mocno perfumujesz?

– Bo tak.

Potem, pewnej nocy, zdecydowała się wyjawić mu powód tych wszystkich pryszniców i perfum.

— Wiesz, to jest tak: kiedy wychodzę z fabryki, mam na sobie zapach kwiatów pomarańczy, cytryny i bergamotki, przesiąka mi nimi skóra. Muszę się namęczyć, żeby je z siebie zmyć. A potem, dla pewności, że nie pozostało już nic z tych zapachów, perfumuję się jeszcze tym pachnidłem.

— No dobrze, ale po co ci to? Choćby i twoja skóra pachniała kwiatami pomarańczy czy bergamotką, nie widzę powodu, żeby...

— O nie, mój drogi! Gdybym kochała się z tobą, pachnąc fabryką, miałabym wrażenie, że zdradzam męża.

Helena

Ta historia zaczyna się od konkursu piękności, bez dwóch zdań sfałszowanego. Albo, jeśli wolicie, upozorowanego. Opowiem po kolei.

Nieomylna prorokini Kasandra, jedyna taka w swoim fachu, ale obciążona brzydką wadą przepowiadania wyłącznie nieszczęść, ostrzega Priama, króla Troi, i jego żonę Hekabe, że spłodzony przez nich potomek, któremu nadali imię Parys, stanie się przyczyną upadku miasta. By się ustrzec przed wiszącą nad nimi katastrofą, Priam rozkazuje, by porzucić Parysa w górach Ida. Tam dziecko dojrzewa, pasąc trzodę i wyrastając na pięknego młodzieńca.

Zmieniamy scenografię.

Na Olimpie, w przybytku bogów, rozgorzała właśnie niebezpieczna dysputa pomiędzy Ateną, Herą i Afrodytą na temat tego, która z nich jest najpiękniejsza. Jeśli podobny spór pomiędzy zwykłymi kobietami potrafi przynieść niszczycielskie skutki, wyobrażamy sobie, co stać się może, gdy wiodą go trzy boginie obdarzone nadnaturalnymi mocami. Dylemat należy rozstrzygnąć czym prędzej.

Nie znajdzie się jednak ani jeden bóg z prawdziwego zdarzenia, który chciałby w tym sporze pełnić rolę sędziego: także tam, u góry, nikt ani myśli pakować się w kłopoty. Przeto Zeus wysyła na ziemię Hermesa, aby wyszukał odpowiednią osobę. A ten odnajduje ją w osobie przystojnego Parysa, który chętnie podejmuje się zadania: to on, jako jedyny sędzia, ma przekazać złote jabłko tej, którą uzna za najpiękniejszą.

Trzy boginie stawiają się na pierwszy w historii konkurs piękności. Korzystając z chwili nieuwagi dwóch pozostałych, Afrodyta szepce na ucho Parysowi, że jeśli przyzna jej zwycięstwo, w nagrodę da mu poślubić swą ulubienicę Helenę, najpiękniejszą kobietę na ziemi. (Skądinąd jestem przekonany, że Parys obdarowałby Afrodytę złotym jabłkiem nawet i bez tej pobudzającej apetyt obietnicy). Tak czy inaczej, Afrodyta zwycięża, ale zobowiązanie zaciągnięte wobec Parysa okazuje się niełatwe do realizacji. Helena od lat jest bowiem żoną Menelaosa, króla Sparty i rodzonego brata Agamemnona, potężnego króla nad królami. Dlatego to Parys, nie bez odrobiny boskiej pomocy, zmuszony jest ją porwać i na pokładzie statku zabrać ze sobą do Troi.

I tu pytam: czemuś, chłopcze złoty, nie zabrał jej w góry Ida, do twoich owiec? Spędzilibyście wasze życie w bukolicznej szczęśliwości, jedlibyście bundz i kaszkawał, zażywali kąpieli w bystrych strumieniach, kochali się od zmierzchu do świtu przy niemilknącym śpiewie ptactwa... kto by was szukał w tych górach? A tu nie, książę Parys ze swą piękną zdobyczą nie widzi nic lepszego, jak wrócić do domu, do rodziców, jak pierwszy lepszy goguś, jak współczesny maminsynek. A Kasandra doświadcza na jego widok całkowicie usprawiedliwionego ataku histerii.

Raz jeszcze zmieniamy scenografię.

Menelaos (wybaczcie, ale to imię, oznaczające tego, który stawia opór ludowi, wydaje mi się idealne dla męża przeznaczenia) przyzywa zemsty za doznaną zniewagę i tak długo prosi i błaga, aż przekonuje swego brata Agamemnona i pozostałych królów, by wyruszyć z wielką flotą i wypowiedzieć wojnę Troi.

Reszta historii jest dobrze znana. Również dlatego, że kazali się nam nad nią pocić w szkolnych ławkach (jeszcze jedna i niemała wina, którą należy złożyć na barki Parysa).

Skoro tak się rzeczy mają, Helena nawet w najmniejszym stopniu nie odpowiada za tragedię, która dotknęła Troję.

Jednak krążyły uporczywe pogłoski, że było zupełnie inaczej. Helena nie została porwana wbrew swej woli, ale zgadzała się na to i z porywaczem aktywnie współpracowała, a podróż morska do Troi nie była niczym innym, jak nieustającym ćwiczeniem miłosnym. Że Helena była kobietą niezrównanego piękna, to rzecz bezdyskusyjna, ale jest tak samo pewne, że kipiała zmysłowością. Inni mówili o niej, że była cyniczna i pozbawiona skrupułów. Jakakolwiek była o niej prawda, pewne jest, że Menelaos, zbyt stary dla niej, tłusty i niziutki, nijak nie mógł zostać jej wymarzonym mężczyzną. Parys zaś spełniał wszystkie warunki męskości.

Kiedy Grecy zdobywają Troję – opowiada Eurypides w *Trojankach* – Menelaos zamierza odzyskać Helenę tylko po to, by zabrać ją z powrotem do Sparty i tam pozbawić życia. Z pewnością dotarły do jego uszu głosy o zachowaniu nie do końca współbrzmiącym z sytuacją kobiety zabranej prawemu małżonkowi i poddanej brutalnej seksualnej napaści. Hekabe, która miała czas poznać się na Helenie podczas jej pobytu w Troi, radzi mu, by nie spotykał się z żoną, bo ta samym spojrzeniem zdolna jest sprawić, że zmieni zdanie: taka jest moc jej urody, że odbiera wolę każdemu mężczyźnie, który się o nią otrze. I oskarża Helenę o próżność, zachłanność, chytrość i całkowity brak wrażliwości. Helena broni się, twierdząc, że wszystko jest winą Afrodyty, a ona jest tylko ofiarą kaprysów bogini. I w końcu widać wyraźnie, że Menelaos, choć zachowuje kamienną twarz, kiedy już wróci do Sparty, Heleny bynajmniej nie zgładzi. Raz jeszcze weźmie ją w ramiona. I raz jeszcze uwodzicielka nad uwodzicielkami zwycięży.

Nieco później całą tragedię, zatytułowaną jej imieniem, poświęci Helenie Eurypides. Tyle że nie mamy tu właściwie do czynienia z tragedią, ale z pierwszą prawdziwą komedią, jaka została napisana. Komedią lekką i błyskotliwą. I wywracającą do góry nogami historię, którą wydaje się nam, że znamy.

Helena, oddana i wierna żona Menelaosa, kiedy próbuje ją porwać ten mały impertynent Parys, prosi Hermesa, by uchronił ją od hańby. Ten dostarcza doskonałą kopię Heleny, żyjące symulakrum, seksowną lalkę obdarzoną zdolnością mówienia, którą Parys porywa, biorąc ją za oryginał. A Hermes ukrywa prawdziwą Helenę w Faros w Egipcie, opiekę nad nią powierzając jego władcy, Proteuszowi. Czysta Helena spędza swoje dni, wzdychając z miłości za swoim odległym Menelaosem, ale jej sytuacja ulega zmianie, kiedy umiera król Proteusz i na tron wstępuje jego syn Teoklimenes, który zakochuje się w niej i pragnie ją poślubić.

Ona jednak nie zamierza się wyrzec Menelaosa i codziennie chodzi na grób Proteusza, aby tam modlić się o to, by zaślubiny nie doszły do skutku. Pewnego smutnego dnia dociera do niej wiadomość, że Troja, owszem, padła, ale Menelaos nie żyje. Co teraz robić, aby pozostać wierną jego pamięci?

I oto przez przypadek do brzegów Faros dobija Grek w łachmanach w otoczeniu kilku mężczyzn i jednej kobiety. Grek okazuje się nie kim innym, jak samym Menelaosem, który w czasie długiej podróży do ojczyzny utracił wszystko, a kobieta – ową żywą kopią Heleny, o czym Menelaos nie wie, tak samo jak nie wiedział Parys. Rzeczywiście, kiedy pojawia się prawdziwa Helena, symulakrum rozpływa się w powietrzu. Małżonkowie padają sobie naresze w objęcia. Pozostaje do rozwiązania problem, jak uciec z tej ziemi, gdzie Teoklimenes zabija każdego Greka, który tylko postawi na niej stopę. To ona, z przebiegłością i błyskotliwością przywracającą nam legendarną Helenę, wymyśli i zorganizuje wspaniały fortel przeciwko Teoklimenesowi, który pozwoli jej i Menelaosowi szczęśliwie powrócić do swego domu.

Jeśli zaś o mnie chodzi, to od Heleny znanej z kart greckich klasyków wolę tę, której obraz zrekonstruował znany kompozytor z drugiej połowy XIX wieku, a po nim pewien dwudziestowieczny dramaturg.

Pierwszym jest Jacques Offenbach, który w swej operetce z 1864 roku zatytułowanej *Piękna Helena*, swoistej przeróbce tematu trójkąta Parys–Helena–Menelaos, przenosi na główną bohaterkę wszystko to, co w jego stylu najlepsze: lekkość, ironię, sceptycyzm, elegancję i ukochanie przyjemności. Przedstawienie okazało się sukcesem na światową skalę. Ta muzyka, która miała w sobie coś z kankana, refrenu, świecidełek i godnego subretki poruszania biodrami, łatwa i przyjemna dla ucha, była najlepszym akompaniamentem do kroków kusicielki, najlepszym środkiem do wpisania jej postaci, eterycznej i konkretnej zarazem, w przestrzeń. Ówcześni dziennikarze opowiadają, że w wieczór premiery w paryskim Théâtre des Variétés publiczność wychodziła z sali, podśpiewując motywy z operetki. A wielu królów i cesarzy pospieszyło do tego teatru, by oddać obowiązkowy hołd najnowszemu objawieniu się w pełnym blasku tej najpiękniejszej z pięknych.

Wspomniany dramaturg zaś to Jean Giraudoux, autor dramatu w dwóch aktach pod tytułem *Wojny trojańskiej nie będzie*. Dowcipny i gorzki tekst napisany przez człowieka teatru i dyplomatę jednocześnie przepowiadał już na kilka lat przed jego wybuchem okrutny konflikt światowy sprowokowany przez Hitlera.

Na progu tragedii Troi ironia, gracja, pozorny cynizm, uśmiech wytwornej i nieświadomie okrutnej Heleny, mówiącej nam bezsłownie, jak niewiele w obliczu ludzkiego bestialstwa znaczy odwoływanie się do współczucia i rozumu – wszystkie one zbierają się razem w tańcu pochwalnym na cześć wspaniałości życia wykonywanym przed obliczem kogoś, kto już niedługo zatroszczy się o zapełnienie cmentarzy.

Kim więc naprawdę była Helena? Trudno rzec. Mam odpowiedź, ale tylko dla siebie.

Helena była po prostu wszystkimi kobietami, które mężczyźni na przestrzeni wieków raz kochali, a raz nienawidzili.

Jedna i sto tysięcy. Ale w żadnym wypadku „nikt"*.

---

* Autor czyni tu aluzję do tytułu powieści Luigiego Pirandella *Jeden, nikt i sto tysięcy.*

Helga

Lato roku 1947 nie było łaskawe dla plażowiczów: słońce nie wytrzymywało dłużej niż trzy–cztery dni, potem zakrywała je gęsta pierzyna mglistych chmur niosących ze sobą deszcz i burze. Zła pogoda również trwała przez trzy albo cztery dni, po których znowu wychodziło słońce.

Pewnego ranka, nie bacząc na zasnute chmurami niebo, udałem się na plażę. W zakładzie kąpielowym panowała melancholijna pustka. Włożyłem kostium i kazałem przynieść leżak blisko brzegu. Morze lekko falowało. Wziąłem się do czytania powieści, którą zabrałem ze sobą. Po jakimś czasie podniosłem oczy i zobaczyłem, że ktoś płynie w stronę plaży. Musiał być w wodzie, i to daleko od brzegu, już wtedy, kiedy przyszedłem na plażę, inaczej zauważyłbym go wcześniej. Potem ten ktoś wstał i zobaczyłem, że jest dziewczyną.

Przeszła obok mnie, udając się do szatni. Dwudziestoletnia smukła brunetka o pięknym ciele.

– Jak woda? – zapytałem.

– Wspaniale zimna – odpowiedziała, nawet nie spojrzawszy na mnie.

Miała twardy akcent. Musiała być Niemką. I rzeczywiście, w tamtych czasach tylko kobieta z obcego kraju mogłaby uznać za całkowicie normalną wyprawę na plażę bez koleżanki czy męskiego towarzystwa. Jakieś pół godziny później pracownik plaży przyniósł leżak i postawił go obok mojego. Po chwili pojawiła się dziewczyna w śnieżnobiałym kostiumie do opalania, choć należałoby przebić grubą warstwę chmur, by móc się opalać. Uczesana, w każdym calu doskonała.

Stanęła obok mnie. Wstałem. Podała mi rękę z czymś w rodzaju półukłonu.

– Mam na imię Helga. Nie przeszkadzam?

Przedstawiłem się, odpowiedziałem, że nie przeszkadza, i kiedy siadaliśmy, zapytałem, czy jest może Niemką.

– Nie. Szwajcarką.

– Turystka?

Roześmiała się. Miała nieregularne rysy twarzy, które jej uśmiech doskonale ze sobą harmonizował, jeszcze wyraźniej podkreślając jej urodę. Opowiedziała mi o sobie. Dopiero co skończyła dwadzieścia cztery lata, od pięciu lat była zamężna z trzydziestoletnim Szwajcarem, tak jak ona pochodzącym z niemieckich kantonów, właścicielem sieci restauracji. Mąż subwencjonował remont i restrukturyzację historycznej restauracji w Agrigento i miał stale zarezerwowany pokój małżeński na parterze w Grand Hotel des Temples. Gdzie ona od dwóch lat spędzała samotnie miesiąc wakacji.

– Od dwóch lat? Jak to możliwe, że nigdy pani nie widziałem?

– Bo zawsze chodziłam na plażę w San Leone. Ale dziś kazałam się przywieźć tutaj. Bardziej mi się tu podoba.

Zaczęło lekko wiać, ale nie było nieprzyjemnie. Położyłem książkę na piasku, wiatr szeleścił kartkami. Nagle schyliła się, wzięła ją do ręki, dmuchnęła między kartkami, by oczyścić je z ziarenek piasku, i podała mi.

– Nienawidzę nieporządku i brudu – przyznała się.

Zlustrowała dokładnie moje ciało, z pewnością chciała sprawdzić stopień mojej zażyłości z zasadami higieny. Musiałem zdać egzamin, bo powiedziała mi:

– Przejdźmy na ty.

I zapytała o mnie. Jednak niemal od razu mi przerwała, zdecydowanie wolała mówić o sobie. Miło gwarzyliśmy aż do chwili, kiedy spojrzała na zegarek i oznajmiła, że za kilka minut przyjedzie po nią samochód z restauracji.

– Zobaczymy się jutro rano? – zapytała.

– Pewnie – odpowiedziałem z entuzjazmem – i we wszystkie inne dni, dopóki tu zostaniesz.

– Niestety przyjechałam tu na sam koniec wakacji. Mogę przyjść jeszcze tylko jutro, pojutrze wyjeżdżam.

Zmarszczyła brwi, intensywnie o czymś myślała. Potem rozpogodziła się.

– Słuchaj, jesteś wolny dziś po południu? Możesz przyjechać do Agrigento? Byłoby mi miło jeszcze z tobą porozmawiać, ale nie chciałabym, żeby mnie ktoś tu zobaczył z chłopakiem, rozumiesz... W zeszłym roku odkryłam w mieście małą kawiarenkę, niezbyt uczęszczaną, ale bardzo czystą, z małą osobną salą. Mogę spędzić z tobą dokładnie dwie godziny, od piątej do siódmej. Pasuje ci?

Jak najbardziej mi to pasowało. Wyjaśniła, jak dotrzeć do kawiarni, wstała i pobiegła do szatni, żeby się przebrać. Nie zdążyłem jeszcze wrócić na leżak, kiedy nagle cofnęła się, podniosła rękę i przeciągnęła nią po moim czole.

– Miałeś tam trochę piasku – wyjaśniła.

W kawiarni pojawiłem się punktualnie, ale ona już siedziała w środku, zirytowana. Stwierdziła, że spóźniłem się całe dwie minuty. Pokazałem jej zegarek wskazujący punkt piątą. Ona pokazała swój, który wskazywał prawie trzy po piątej.

– A kto powiedział, że mój nie wskazuje właściwej godziny?

– Niemożliwe. Mój jest szwajcarski i dobrej marki – ucięła i kontynuowała: – Dziś rano nie powiedziałam ci, że...

I zaczęła mówić o sobie. Od czasu do czasu przerywała, by zdjąć mi to włos z marynarki, to coś, co tylko ona widziała na szyi albo między jednym a drugim guzikiem koszuli. W pewnym momencie strzepnęła mi jakiś niewidoczny paproch ze spodni i jej ręka już została na moim kolanie. Odwzajemniłem gest. Kontakt fizyczny sprawił, że przeszła na bardziej osobiste tematy. Nie miała dzieci, bo jeszcze ich nie chciała, poza tym z mężem takim, jak ten… Trzymał ją na dystans, zdarzało się im spać ze sobą nie częściej niż raz na jakieś trzy miesiące. A ona, obdarzona potężnym temperamentem – tak właśnie powiedziała – bardzo z tego powodu cierpiała. Szepnąłem, dotykając jej kolana, że jestem gotowy ulżyć jej w cierpieniu. Sytuacja między nami nagle przyspieszyła. Nie dało się jednak przekroczyć pewnej granicy. Wtedy ona wysunęła konkretną propozycję.

– Możesz przyjść do mnie do hotelu, ale dokładnie kwadrans po północy.

Znałem ten hotel, stojący w centrum parku otoczonego wysokim ogrodzeniem z dwiema bramami: wielkim wejściem gościnnym i mniejszym dla służby. Jednak obie bramy zamykano punktualnie o dwunastej w nocy. Jak wejdę do środka? Wyjaśniła mi, że trzy kroki od wejścia dla pracowników odpadł kawałek muru i wejście zabezpieczono drutem kolczastym. Ale przy odrobinie ostrożności można było tamtędy przejść. Ostatnie okno po lewej z tyłu budynku na parterze należało do jej sypialni. Wystarczyło, że lekko zapukam, a otworzy.

Spojrzała na zegarek, powiedziała, że jest za minutę siódma, pocałowaliśmy się, zdjęła mi coś z włosów, wstała, wyszła.

Powiedziałem w domu, że w nocy będę się uczyć u kolegi, wziąłem rower, powałęsałem się po miasteczku i punktualnie o jedenastej wyjechałem na drogę do Agrigento. Prowadziła wciąż pod górę, ale myśl o tym, co mnie czekało u celu, sprawiała, że pedałowałem niczym mistrz kolarski. Za dziesięć dwunasta zaczęło lać jak z cebra. Z zaskoczenia wpadłem w poślizg i przewróciłem się z całym rowerem. Dokładnie na, że tak powiem, stertę nawozu. Wstałem, wsiadłem na rower, dojechałem do hotelu, w świetle latarki zobaczyłem przejście, zostawiłem rower, schyliłem się, zrobiłem krok, by przejść przez siatkę z kolczastego drutu, ale poczułem, że uwięzłem. Próbowałem uwolnić się powoli i spokojnie, bez skutku. A czas uciekał. Użyłem siły, kolce porozrywały koszulę, spodnie i skórę, ale w końcu się udało. Puściłem się biegiem wzdłuż alejki, wciąż padał rzęsisty deszcz. Helga otworzyła okno i spojrzała na mnie ze zgrozą. Miała na sobie przezroczystą koszulę nocną.

– Nie wchodź, wszystko pobrudzisz. Poza tym spóźniłeś się pięć minut.

– Żartujesz sobie? Wpuść mnie.

Powiedziała, żebym zaczekał na zewnątrz. Stałem w strugach deszczu, czekając, aż ze szlafroków i ręczników wyścieli mi coś w rodzaju chodnika wiodącego od okna do drzwi łazienki. W końcu pozwoliła mi wejść, ale bez butów. Spróbowałem ją pocałować. Odsunęła mnie twardo.

– Nie dotykaj mnie! Jesteś brudny i cuchniesz! Idź szybko się umyć!

Wymyłem się najdokładniej. Kiedy jednak otworzyłem drzwi, nakazała mi stać w miejscu. Podeszła mnie sprawdzić i zobaczyła, że krwawię z otarcia na ramieniu.

– Nie ma mowy! Zabrudzisz pościel!

Miała coś w rodzaju podręcznej apteczki. Zdezynfekowała i opatrzyła ranę. Potem z grymasem niesmaku zaczęła obwąchiwać moje nagie i mimo wszystko wyraźnie pobudzone ciało.

Centymetr po centymetrze. Miała w sobie coś z połączenia pielęgniarki spoglądającej na ropiejącą ranę i rzeźniczki zatroskanej, że rumsztyk się jej psuje.

– Wciąż trochę śmierdzisz, nie umyłbyś się jeszcze raz?

Zanim wyszła z łazienki, spojrzała dookoła i dodała:

– No sam zobacz, jak tu naświniłeś.

Kiedy w końcu opuściłem łazienkę, leżała nago na łóżku z rozłożonymi rękami, jakby czekała na ukrzyżowanie. Powiedziała mi, żebym zrezygnował ze wstępów i od razu przeszedł do rzeczy, już nie mogła wytrzymać, temperament nie pozwalał jej czekać ani chwili dłużej. Zabrałem się do dzieła. Po upływie kwadransa uświadomiłem sobie, że nawet mumia reagowałaby lepiej. Raz powiedziała „a", potem znów „a, a", bez przerwy patrząc w sufit i nie poruszając ani jednym mięśniem. Na końcu zapytała, jaka była.

– Jak huragan – powiedziałem.

Uśmiechnęła się z zadowoleniem. Kazała mi wyjść przez okno łazienki, żebym nie zabrudził pokoju. Następnego ranka obudziłem się z potwornym przeziębieniem. Dlatego nie mogłem pójść na plażę, żeby się z nią pożegnać i powiedzieć, że ta noc szaleńczej namiętności na zawsze pozostanie w mojej pamięci.

Ilaria

Pierwszy raz usłyszałem o jej istnieniu, było to chyba w roku 1942, przeglądając jakiś periodyk poświęcony literaturze, w którym zamieszczono wiersz Salvatora Quasimodo zatytułowany *Davanti al simulacro d'Ilaria del Carretto* (Przed podobizną Ilarii del Carretto).

Wiersz zaczynał się nieszczególnie wybitnie:

Już pod łagodnym księżycem ścielą się twe wzgórza.
Nad brzegami Serchio, w czerwień i błękit odziane,
dziewczęta lekko stąpają.

Dalej wiersz mówił o czymś w rodzaju tajemniczego rytu przebłagalnego, który sprawowali przed nią kochankowie przybyli z różnych stron... Wiele z tego nie zrozumiałem, ale wystarczyło, by mnie zaciekawić. Także z tej przyczyny, że nie mogłem się zorientować, w jakim znaczeniu Quasimodo użył słowa *simulacro*. Znajdowałem się wszakże na Sycylii i były ciężkie czasy wojny, nie miałem więc jak zaspokoić ciekawości.

Kilka lat później znów natknąłem się na ślad Ilarii, także tym razem za pośrednictwem poezji, ale pochodzącej z 1903 roku i również nieprzesadnie wybitnej. Autorem wiersza był Gabriele D'Annunzio, a strofy poświęcone były miastu Lucca.

[...] całunem okryta, pod piękną grobowca pokrywą
spoczywa; a tyś jej za lustro może kiedyś służył,
i stóp jej ślady twe brzegi znaczyły.
Dziś jednak już nie Ilaria del Carretto
panuje nad ziemią, której wodę niesiesz,
o Serchio [...]

Później poznałem dziewczynę pochodzącą z Lukki i w ten sposób, wśród morza westchnień, wreszcie dowiedziałem się wszystkiego o Ilarii.

W roku 1400 Gian Galeazzo Visconti, książę Mediolanu, prosi swego przyjaciela Paola Guinigiego, pana Lukki i świeżego wdowca po niespełna jedenastoletniej Marii Caterinie Antelminelli, by znów, z całkowicie politycznych i związanych z wojną powodów, pojął za żonę córkę jego sprzymierzeńca Carla del Carretto, pana na Finale Ligure i ojca zachwycającej dwudziestoczterolatki, Ilarii.

Wydaje się, że Paolo nie mógł skonsumować małżeństwa ze swą dziecięcą żoną i potrzebował potomka, przystał więc na wolę księcia Mediolanu. Jest to zatem małżeństwo, jakich w tamtych czasach wiele, zaaranżowane, zawarte z rozsądku, jednak gdy tylko Paolo Guinigi widzi przyszłą małżonkę, zakochuje się w niej bez pamięci. Nie wiemy, czy jego uczucie zostało odwzajemnione.

Pewne w każdym razie jest to, że przepiękna Ilaria, choć tylko przez ten krótki czas, jaki jej pozostał, była żoną doskonałą.

We wrześniu 1404, po powrocie z długiej podróży po mężowskich włościach, Ilaria wydaje na świat swego pierworodnego, który otrzymuje imię Ladislao.

Jednak 8 grudnia następnego roku umiera przy porodzie, tym razem wydając na świat córkę, Ilarię Mniejszą. Zdaje się, że skonała w straszliwych bólach, a obywatele miasta szczerze opłakiwali jej śmierć.

Wdowiec zlecił wykonanie sarkofagu Jacopowi della Quercia. Jeszcze młody, lecz już uznany artysta stworzył wybitne dzieło sztuki. Pod naciskiem ludności zdecydowano, że dzieło umieszczone zostanie w miejscowej katedrze, aby wszyscy je mogli podziwiać.

Jednak wnętrze sarkofagu już od bardzo dawna nie zawiera szczątków Ilarii.

W roku 1430 Paolo Guinigi zostaje pozbawiony władzy

i uwięziony. Wrogowie biorą w posiadanie jego dobra, plądrują rodzinne sarkofagi i w geście ostatecznej zniewagi rozsypują szczątki Ilarii. Niszczą również boczne elementy sarkofagu, który jednak później zostanie przywrócony do pierwotnej świetności.

Pewnego dnia zaczyna krążyć legenda mówiąca, że każda kobieta, która pogładzi sarkofagową twarz Ilarii, zapewni sobie poród bez komplikacji. Tak oto tłoczą się do niej pielgrzymki par, kochanków, narzeczonych i małżonków, spełniających ten rytuał, by uzyskać jej opiekę.

Mężczyźni nie mogą się powstrzymać przed jej pocałowaniem.

Kiedy moja dziewczyna z Lukki zaprowadziła mnie tam, doświadczyłem nad wyraz silnych emocji, gdyż Jacopowi della Quercia udało się przekazać doskonałą ideę kobiecego piękna.

Dlatego też zupełnie nie obchodzi mnie kwestia podniesiona jakiś czas temu przez niektórych badaczy. Twierdzą oni, że oblicze Ilarii przypomina znacznie bardziej twarz dziecka niż dwudziestopięciolatki.

Czy nie jest prawdopodobne, pytają, że Jacopo inspirował się wcześniejszą rzeźbą, przedstawiającą jedenastoletnią Marię Catarinę Antelminelli, pierwszą żonę Paola?

Ponadto kobieta przedstawiona na sarkofagu ma zaledwie metr czterdzieści, podczas gdy według świadectwa ówczesnych kronik Ilaria była kobietą wysokiego wzrostu.

Ja zwróciłbym uwagę na jedną tylko sprawę. Mąż Ilarii z pewnością widział ten sarkofag. I możliwości są dwie: albo to jest oblicze Ilarii, albo kogoś innego. Jakkolwiek było, wdowiec, o ile nam wiadomo, nie zareagował.

Czemu więc my mielibyśmy się tym zajmować?

Poza tym, jak już mówiłem, sarkofag jest pusty.

Niech nam wystarczy oddanie hołdu kobiecemu pięknu.

Ach, i jeszcze jedna sprawa. W roku 1957 także Pier Paolo Pasolini poświęcił Ilarii wiersz. Lepszy od utworów D'Annunzia i Quasimoda, ale z pewnością nienależący do jego najlepszych strof.

Ilaria zdecydowanie nie ma szczęścia do poetów.

Inés

Samolot, który w trzynaście godzin miał mnie przenieść z Rio de Janeiro do Rzymu, rozpoczął kołowanie na pasie startowym. Na pokładzie był komplet, nie licząc dwóch miejsc po mojej prawej stronie. Miejsce po lewej zajmowała moja koleżanka, gorączkująca i nafaszerowana antybiotykami. Zapadła w śpiączkę, kiedy tylko zajęła miejsce.

Lot był bezpośredni i cieszyłem się, że nie mam nikogo po prawej stronie. Kiedy podróżuję samolotem, nie czuję się dobrze, kręcę się w miejscu, na przemian wstaję i siadam. Na dodatek (jeszcze było wolno) paliłem wtedy jak ciągnąca pod górę lokomotywa.

Moja radość trwała krótko. Stewardesa przyprowadziła na wolne miejsca zdyszaną kobietę. Musiała wejść na pokład w ostatnim momencie. Usiadła na miejscu przy przejściu, postawiła dwie wielkie torby na fotelu między nami i zapięła pas bezpieczeństwa. Stewardesa się oddaliła. Kobieta położyła głowę na zagłówku fotela i zamknęła oczy. Wystartowaliśmy.

Kiedy tylko zgasł sygnał z zakazem palenia, zapaliłem pierwszego papierosa. Każda z dwóch toreb, wiedziałem to nawet ja, kompletny ignorant w tej dziedzinie, musiała kosztować spory majątek. Ich właścicielka udała się do toalety, zabierając ze sobą jedną z nich.

Kiedy schylała się po nią, zdążyłem dostrzec, że ma na sobie bardzo elegancką garsonkę drogiej marki, że jest bardzo piękna, że musi mieć jakieś trzydzieści lat i że z oczu ukrytych za przeciwsłonecznymi okularami płyną łzy.

Po chwili wstałem i udając obojętność, czekałem na nią w przejściu. Chciałem się jej przyjrzeć, kiedy będzie wracała. I rzeczywiście, zobaczyłem ją w całej okazałości. Była wysoka, smukła, o idealnych krągłościach, kobieta z wielką klasą. Szybko wróciłem na moje miejsce. Ona usiadła, odświeżona, pachniała perfumami. Zdjęła okulary. Znów oparła głowę o fotel i zamknęła oczy. Zapatrzyłem się na jej profil. A jednocześnie byłem w potrzasku, nigdy bym się nie ośmielił poprosić, by wstała i przepuściła mnie na korytarz. Musiałem robić, co się da, by utrzymać niepokój pod kontrolą. Pozostało mi szukać ulgi w paleniu.

Po trzech godzinach lotu skończyła mi się pierwsza paczka papierosów. Napełniłem ją niedopałkami wygrzebanymi z popielniczki, by zrobić miejsce dla nowych, i wyrzuciłem do śmietniczki.

– Jedna z głowy – powiedziała nagle, nie patrząc na mnie, wciąż z zamkniętymi oczami.

– Przeszkadza to pani?

– Nie, wręcz przeciwnie. Mam jakieś zajęcie, mogąc obserwować pańskie zdenerwowanie.

A więc udawała, że śpi. Mówiła po włosku doskonale, ale nie była Włoszką, coś w jej wymowie zdradzało obce pochodzenie.

– Jest pani Włoszką?

– Nie, Argentynką. Mój mąż urodził się we Włoszech.

Głowę, którą dotąd trzymała prosto przed siebie, odwróciła w drugą stronę.

Sygnał, że nie chce podtrzymywać rozmowy.

Kolejną paczkę papierosów później odezwała się znowu, nadal nie patrząc w moim kierunku:

– Lubi pan hazard?

Pytanie mnie zaskoczyło. Czyżby chciała rozegrać ze mną partyjkę kościanego pokera? A może była hochsztaplerką, gotową oskubać mnie do ostatniego grosza?

– Nie, nie pociąga mnie to.

– A mnie tak.

W końcu postanowiła otworzyć oczy i spojrzała prosto na mnie. Miała nieprawdopodobnie szmaragdowe tęczówki. Naprawdę nic jej nie brakowało.

Uśmiechnęła się i podała mi rękę.

– Inés.

I dodała nazwisko. Również się przedstawiłem.

Wracałem właśnie z Buenos Aires i widziałem tam jej imię i nazwisko na szyldach kilku sklepów z luksusową modą damską. Powiedziałem jej to. Uśmiechnęła się.

– Należą do mnie – przyznała.

Na dowód wyciągnęła z torby podróżnej paszport i pokazała mi.

– Dlaczego pytała mnie pani o hazard?

Spoważniała.

– Ponieważ postanowiłam postawić wszystko na pana. Zagrać o przyszłość, stawiając na stuprocentowego nieznajomego, którego nie zobaczę nigdy więcej.

Popatrzyłem na nią oszołomiony.

– Proszę mi to lepiej wyjaśnić, obawiam się, że nie rozumiem.

– To proste. Znajduję się w momencie życiowego zwrotu. Opowiem panu moją historię i na końcu zadam pytanie. Przyjmę pana odpowiedź i zrobię to, co mi pan powie.

Nie należę do hazardzistów, ale jestem ciekawy świata, a zwłaszcza kobiet, temu nie zaprzeczę. Czy mogłem stracić taką okazję?

– Słucham panią.

Wstała, przeniosła obie torby na fotel, który dotąd zajmowała, i usiadła tuż obok mnie. W ten sposób mogła mówić dyskretnie, bez podnoszenia głosu.

– Urodziłam się w bogatej rodzinie. Mając dwadzieścia jeden lat, zaczęłam importować włoską odzież, otworzyłam sieć sklepów i stworzyłam własną kolekcję, która odniosła sukces. Kiedy miałam dwadzieścia sześć lat, wyszłam za mąż, jak już wspomniałam za Włocha, którego mianowałam dyrektorem generalnym mojej spółki. To było zauroczenie, naprawdę go nie kochałam. Zdałam sobie z tego sprawę po dwóch latach. Może mnie pan poczęstować papierosem?

Zaciągnęła się dwa razy, po czym zgasiła papierosa i wróciła do opowiadania.

– Wciąż żyłam z nim siłą bezwładu, a trochę też dlatego, że świetnie zna się na swojej pracy. Rozwód spowodowałby niezliczone komplikacje zawodowe. Nie chciałam mieć z nim dzieci. Kiedy miałam dwadzieścia dziewięć lat, czyli dwa lata temu, poznałam Enrique. Jest dyplomatą. Zakochaliśmy się w sobie od pierwszego wejrzenia, szybko zostaliśmy kochankami. Od dwóch miesięcy Enrique mieszka w Londynie, pozostanie tam przynajmniej trzy lata. Chce, żebym zostawiła męża i zamieszkała z nim. Obiecałam, że odwiedzę go w ten weekend, żeby nie zrobił czegoś niemądrego, ale przede wszystkim dlatego, że już nie wytrzymuję z tęsknoty za nim. I tak znalazłam się w tym samolocie.

– Czemu wsiadła pani w Rio?

– Powiedziałam mężowi, że lecę do Rio, żeby sprawdzić, jak idą nasze interesy, mamy tam dwa sklepy, a potem miałam spędzić trochę czasu z moją bardzo bliską brazylijską przyjaciółką. Zadzwoniłam do niego dzisiaj i powiedziałam, że usłyszymy się znowu w poniedziałek. Gdyby zadzwonił wcześniej, choć na pewno tego nie zrobi, moja przyjaciółka wie, co mu powiedzieć. Kiedy byłam w Rio, Enrique dzwonił do mnie co noc i co noc błagał mnie ze łzami, żebym została z nim w Londynie. Powiedziałam panu wszystko. A pytanie jest takie: co mam zrobić? Spędzić weekend z Enrique, a potem, jak gdyby nigdy nic, wrócić do Buenos Aires i żyć jak dotychczas, czy zostać w Londynie i rozwalić w drzazgi moje małżeństwo?

Patrzyła na mnie z napięciem. Uśmiechnąłem się.

– Postanowiła pani mi zaufać i źle zrobiła.

– Dlaczego?

– Bo co prawda nie uprawiam hazardu, ale za to żyję z szantażu.

Zaniepokoiła się, nie wiedząc, czy mówię prawdę.

– Mówi pan poważnie?

– Nie, nie żyję z szantażowania ludzi, ale panią tym razem zaszantażuję. Proszę pomyśleć. Wiem o pani wszystko, wiem, jak się pani nazywa, co robi, zapamiętałem nawet adres z paszportu.

Pokręciła głową.

– Nie wygląda mi pan na osobę, która chce pieniędzy. I nie wyobrażam sobie, żeby mógł pan żądać czegoś... innego.

– I ma pani rację. Moja odpowiedź jest taka: proszę zostać w Londynie ze swoim Enrique. Jeśli pani tego nie zrobi, i na tym polega mój szantaż, napiszę list do pani męża, wyjawiając mu wszystko. Jak pani widzi, nie zostawiam wyboru.

Wtedy zrobiła coś nieoczekiwanego. Chwyciła moją rękę i pocałowała.

– Ale skąd będzie pan wiedział, że posłuchałam pańskiej rady? – zapytała po chwili.

– Dokładnie za miesiąc wyśle mi pani kartkę z Londynu z podpisem pani i Enrique. I proszę uważać: po dacie na stemplu poznam, czy to nie jest weekend. Niech sobie pani zapisze mój adres. Posłuchała. Potem wróciła na swoje miejsce i nie odezwała się już do mnie ani słowem.

Kiedy wylądowaliśmy w Rzymie, wstała jako pierwsza, pochyliła się i pocałowała mnie w usta na oczach mojej kompletnie zaskoczonej koleżanki, która właśnie obudziła się z komy.

Miesiąc później otrzymałem pocztówkę z Londynu. Data na stemplu odpowiadała środzie. Na kartce słowa:

„Jesteśmy szczęśliwi. Dzięki".

Pod spodem podpisy Inés i Enrique.

Ingrid

Na zaproszenie do poprowadzenia zajęć na temat teatru Piran-della, które dostałem od uniwersytetu w Kopenhadze, odpo-wiedziałem twierdząco. Nigdy wcześniej nie byłem w żadnym kraju nordyckim.

Na lotnisku czekał na mnie dziekan, którego nazwisko od razu skojarzyłem: był znanym strukturalistą. Szybko się polubili-śmy. Zawiózł mnie najpierw do hotelu, a potem na uniwersytet, bardzo przyjazny pod względem architektonicznym kompleks niskich budynków otoczonych bujną zielenią. W długich, prze-stronnych korytarzach o nieprawdopodobnie czystych ścianach nie dostrzegłem ani jednego studenta.

– Nie ma dziś zajęć?

Spojrzał na mnie ze zdziwieniem.

– Są. A dlaczego miałoby ich nie być?

– To gdzie są studenci?

– Jak to gdzie? W salach wykładowych.

Znając rejwach panujący na rzymskim uniwersytecie, uznałem, że trafiłem do bazy księżycowej numer jeden. Niemal natychmiast uzyskałem potwierdzenie.

– Studenci nie piszą tutaj po ścianach?

– Piszą. Mamy jedną ścianę przeznaczoną specjalnie do tego celu. Jest pokryta dyktą, którą wymieniamy co tydzień.

W sekretariacie powiadomiono mnie, że zajęcia są otwarte także dla studentów filologii włoskiej ze Szwecji i Norwegii. Tak więc oprócz dziewięciorga Duńczyków miałem w grupie czworo Szwedów i troje Norwegów.

Sala, którą dostałem na zajęcia, była przestronna, jasna i elegancka. Następnego dnia rano dziekan krótko mnie przedstawił i wyszedł, a ja rozpocząłem zajęcia od wykładu wprowadzającego. Wcześniej jednak udałem się do uczelnianego baru i zamówiłem whisky. To był mój ówczesny zwyczaj. W barze zobaczyłem dwie piękne, oczywiście wysokie i blondwłose studentki, które chwilę później spotkałem znowu: siedziały w pierwszym rzędzie na moich zajęciach. Mówiłem przez dwie godziny, pozostałe dwie pozostawiłem na pytania i odpowiedzi. Na koniec jedna z duńskich studentek, dość pulchna i przesympatyczna okularnica, zapytała, czy nie potrzebuję przewodnika po Kopenhadze, i zaproponowała swoją pomoc. Przyjąłem. Wieczorem zabrała mnie na dziwne spotkanie studenckie. Odbywało się w czterech przestarzałych wagonach tramwajowych, stojących na środku jakiegoś placyku, wyremontowanych i połączonych ze sobą. Były tam również te same dwie blond studentki, które dołączyły do nas. Okazały się Szwedkami, jedna miała na imię Ingrid, druga Barbro. Wieczór minął przyjemnie.

Następnego dnia byłem już w drodze do uczelnianego baru, kiedy zastąpiła mi drogę Ingrid.

– Nie – powiedziała.

I dodała, żebym poszedł od razu do sali wykładowej. Na katedrze stała butelka whisky, wiaderko z lodem i szklanka. Whisky, zauważyłem od razu, była bardzo droga. Studenci zaczęli się śmiać na widok mojego zakłopotania.

– To prezent od nas wszystkich – powiedziała Ingrid.

Zajęcia przewidziano na cztery dni, od wtorku do piątku, w sobotę rano miałem samolot do Rzymu. W piątek przed zajęciami dziekan powiadomił mnie, że wieczorem zaplanowali na uniwersytecie kolację pożegnalną ze studentami, dziekanem i rektorem. Zajęcia bardzo się im podobały i chcieli dać temu wyraz.

Przy stole siedziałem między rektorem a dziekanem. Naprzeciwko siedziała Ingrid, piękniejsza niż zwykle. W połowie kolacji spojrzała na mnie i spokojnie, nie przejmując się, czy inni usłyszą, powiedziała:

– Jeśli nie masz nic przeciwko, chętnie spędzę z tobą noc.

Nie było mowy o nieporozumieniu. Gdybym stał, pewnie nie utrzymałbym się na nogach. Poczerwieniałem. Rektor nie znał włoskiego, ale dziekan z pewnością usłyszał i zrozumiał, ale nie przerywał jedzenia: sprawa go nie dotyczyła.

– Porozmawiamy później – odpowiedziałem zakłopotany.

Po wszystkich pożegnaniach Ingrid wyszła za mną z uczelni. Czułem się kuszony niczym święty Antoni.

– O której masz jutro samolot? – zapytała.

– O jedenastej.

– Moja propozycja jest taka: o ósmej weźmiemy prom do Malmö, tam mieszkam. Możesz wrócić, kiedy chcesz, odwiozę cię. W nocy promy też kursują.

– Ile czasu zabierze nam droga do Malmö?

– Półtorej godziny.

– Płyniemy – postanowiłem.

To było silniejsze ode mnie. Prom był pełen pijanych Szwedów. Ingrid wyjaśniła mi, że sprzedaż napojów alkoholowych w Szwecji kończy się o trzeciej po południu i miłośnicy mocnych trunków zmuszeni są płynąć do Danii.

Przybiliśmy do brzegu, zeszliśmy na ląd, dotarliśmy na wielki parking, gdzie Ingrid zostawiła swój samochód. Kiedy tylko znaleźliśmy się w środku, przejęła inicjatywę.

Współpracowałem. Po chwili zapuściła silnik i ruszyliśmy do niej.

W dzielnicy zgrabnych domków z dużymi ogródkami przejechała przez bramę, wjechała w uliczkę prowadzącą do jednokondygnacyjnego budynku, przejechała wzdłuż niego i zaparkowała w garażu obok drugiego samochodu. Zauważyłem, że w willi palą się światła. Nie przejąłem się tym, nie wiedzieć czemu, wytłumaczyłem sobie, że mieszka z jakąś koleżanką ze studiów. Przekręciła klucz w zamku, w wiatrołapie coś do kogoś powiedziała, odpowiedział jej kobiecy głos.

– Wejdź.

Poszedłem za nią. Weszliśmy do przytulnego saloniku. Mężczyzna i kobieta, nieco młodsi ode mnie, oglądali telewizję. Na mój widok wstali.

– To mama i tato – powiedziała Ingrid, przedstawiając nas sobie.

Dodała coś jeszcze, sądzę, że było to coś o profesorze, który przyjechał z Włoch.

– Chodźmy do mnie do pokoju – odezwała się, biorąc mnie za rękę.

Byłem przerażony i zawstydzony. Co robić? Zemdleć? Udać atak szaleństwa? Usiąść z nimi w salonie i rozmawiać o dolegliwościach związanych z wiekiem? Jednak Ingrid pociągnęła mnie do swojego pokoju, który znajdował się dokładnie obok salonu. Oplotła mnie ramionami, zaczęła mnie całować, ale nagle przerwała:

– Co ci jest? Cały jesteś spocony.

W lot wykorzystałem okazję.

– Rzeczywiście, nie czuję się najlepiej, kręci mi się w głowie, może coś zjadłem albo spadło mi ciśnienie...

Pięć minut później mama i tato otoczyli mnie swoją opieką.

Gorący napój, termometr. Pół godziny później oświadczyłem, że czuję się lepiej. Tato postanowił odwieźć mnie do samej Kopenhagi i wysadził mnie przed wejściem do hotelu.

Owego tygodnia indeks notowań męskości Włochów musiał w Szwecji ostro pójść w dół, niczym na giełdzie podczas kryzysu.

To właśnie w hołdzie dla wolności, spontaniczności i moralnej czystości Ingrid chciałem, by zagraniczna przyjaciółka mojego komisarza Montalbano była Szwedką i nosiła właśnie jej imię.

Joanna

Czytałem wiele dramatów i wierszy poświęconych Joannie d'Arc i wyłaniająca się z tych stronic Dziewica Orleańska miała dla mnie zawsze takie samo oblicze. Nawet jeśli interpretacje jej życia podsuwane przez dramatopisarzy i poetów znacznie się od siebie różniły, twarz miała dla mnie wciąż taką samą.

To samo zdarzyło mi się w kinie: w pewnym momencie twarz grającej ją Ingrid Bergman zniknęła, zastąpiona tą inną, „moją".

Była to twarz korsykańskiej aktorki Renée Falconetti, grającej główną rolę w niemym filmie z 1928 roku pod tytułem

Męczeństwo Joanny d'Arc w reżyserii Duńczyka, Carla Theodora Dreyera.

Jeśli obraz ten uznaje się za kamień milowy nie tylko w historii kina, ale i całej sztuki XX wieku, zawdzięcza to moim zdaniem także poruszającej grze aktorskiej samej Falconetti.

Film koncentruje się na przesłuchaniu Joanny przez sędziów pod przewodnictwem biskupa Pierre'a Cauchona, zdecydowanych oskarżyć ją o herezję i posłać na stos.

Falconetti, z obciętymi włosami, bez makijażu, pokazywana zawsze na pierwszym planie albo w zbliżeniu, nie jest już zwycięską i natchnioną kondotierką, ale młodą kobietą, której twarz wyraża zmieniające się uczucia rezygnacji i dumy, strachu i zdecydowanego wyznania własnej wiary, zwątpienia i ekstazy, zmęczenia i udręki, lęku i oburzenia. A wszystko to z wielkim artystycznym wyczuciem, podwajającym jeszcze siłę wyrazu.

Ponadto Dreyer zastosował zabieg w kinie niezwykły, mianowicie kręcił sceny w takim porządku, w jakim miały się ukazać w zmontowanym filmie, tak że Falconetti mogła stworzyć swoją postać, idąc krok w krok za jej rozwojem psychicznym. Tak jak zazwyczaj dzieje się w teatrze. A Falconetti była przede wszystkim aktorką teatralną o rzadkiej wszechstronności.

To o niej pisał krytyk Robert Kemp, że bez wątpienia była najzdolniejszą aktorką swego pokolenia, genialną interpretatorką, niestety, obdarzoną również wrodzonym brakiem stałości; i że niemal rozmyślnie omijała sławę.

Nie mam najmniejszego zamiaru zagłębiać się w gąszcz różnorodnych interpretacji, jakie historycy i artyści poświęcali zagadkowej postaci Joanny, kondotierki w imieniu Boga, spalonej następnie na stosie jako heretyczka, a wreszcie ogłoszonej świętą.

Pewne jest jednak, że była chłopską córką, która pewnego dnia, jak sama twierdzi, zaczęła słyszeć niebiańskie głosy wzywające ją do spełnienia wielkiej misji politycznej i wojennej. Ekscentryczka? Święta?

To mnie nie interesuje. Natomiast bardzo chciałbym się dowiedzieć, w jaki sposób i w tak krótkim czasie nieuczona wieśniaczka, co w tamtych czasach oznaczało istotę nieposiadającą wagi i znaczenia, stała się charyzmatyczną, emblematyczną postacią, zdolną pociągnąć ludzi najróżniejszych stanów i kondycji, którą możni tego świata postanawiają wykorzystać, oddając jej pod komendę całą armię. Jeśli Joanna dokonywała cudów, to z pewnością pierwszy z nich jest taki: stać się żywym sztandarem całego narodu. Sądzę, że była to jedyna kobieta w historii, której się to udało.

Jednak bitew nie wygrywa sztandar pociągający za sobą ludzi, lecz dowódcy, zdolni wypracować strategię i taktykę. Możni to wiedzą, dlatego u jej boku stawiają Gilles'a de Rais, bogatego arystokratę, geniusza sztuki wojennej, który już w wieku dwudziestu trzech lat został dowódcą wojsk królewskich i dwa lata później marszałkiem Francji w nagrodę za zwycięstwo nad Anglikami pod Patay.

Gilles był więc strategiem Joanny i dzielił z nią codzienne trudności wojennego życia.

Jeden z historyków opowiada, że dzielili ze sobą także rzadkie momenty pokoju. Niekiedy Gilles pozostawał nawet na noc w namiocie Joanny i oboje młodzi, bo tacy przecież byli, z powodu zimna spoczywali złączeni czystym uściskiem.

A więc Gilles pobożnie oddychał z bliska tchnieniem świętości, dane mu było poznać z bliska, rzekłbym nawet: dotykać własnymi rękami, ucieleśnienie pozaziemskiej idei Dobra.

Jego oddanie i wierność wobec Joanny są absolutne, nie znają wątpliwości ani wahań.

Po tragicznej śmierci Joanny Gilles uzyskuje zwolnienie z wojskowych obowiązków. Doszedłszy dzięki spadkom i małżeństwu do jeszcze większego bogactwa, oddaje się rozrzutnemu życiu w swoich zamkach. Dla własnej rozrywki angażuje na długie miesiące całe trupy teatralne.

Później osiada na stałe w zamku Machecoul.

Tutaj otacza się już nie aktorami, ale rzeszą alchemików i adeptów sztuk tajemnych, wśród których wyróżnia się pochodzący z Arezzo były zakonnik Francesco Prelati, chełpiący się umiejętnością przywoływania samego diabła.

To tego właśnie Gilles gwałtownie pożąda: znaleźć się w cztery oczy z diabłem.

W tym samym czasie zaczynają krążyć coraz liczniejsze pogłoski o dokonywanych przez niego straszliwych niegodziwościach. Ma kupować albo zlecać porwania dzieci okolicznych wieśniaków, by potem je gwałcić, ćwiartować i składać w ofierze diabłu kawałki maleńkich ciał.

Aresztowany po pewnym czasie i zagrożony torturami przyznaje się do winy i zostaje skazany na śmierć wraz z niektórymi towarzyszami swych łotrostw. Zostanie najpierw powieszony, a następnie jego ciało strawią płomienie.

Obciąża się go odpowiedzialnością za śmierć około dwustu dzieci i nastolatków.

To na kanwie jego historii rodzi się legenda o Sinobrodym.

Liczni ludzie twierdzą, że Gilles chciał spotkać diabła, by otrzymać od niego formułę potrzebną do odzyskania ogromnych sum wcześniej przez niego roztrwonionych. Ja jednak jestem przekonany, że Gilles, poznawszy absolutne Dobro, chciał również poznać absolutne Zło.

Lecz aby w pełni poznać zło, należy praktykować je aż do głębi. Co też Gilles uczynił.

I wierzę, że u szczytu tej grozy zdał sobie sprawę, że nie ma już potrzeby przywoływać diabła, że wystarczy popatrzeć w lustro. Nareszcie sięgnął do wyżyn Joanny, ale z przeciwnej strony, jedynej, jaka była mu dana.

I mógł powrócić, by położyć się obok niej, jak wtedy, w czasie wojny: Dobro złączone ze Złem, wręcz zjednoczone ze sobą w silnym uścisku.

Jolanda

Dwie są Jolandy najlepiej znane każdemu Włochowi: „córka Czarnego Korsarza" z powieści Emilia Salgariego* i „Jolanda furiosa" stworzona przez Lucianę Littizzetto, której owo imię posłużyło do eufemistycznego nazwania konkretnej części kobiecego ciała**.

---

* Emilio Salgari (1862–1911), niezwykle popularny we Włoszech autor licznych powieści przygodowych umiejscowionych w egzotycznych krajach. W Polsce najlepiej znany z filmowej adaptacji cyklu książek o malezyjskim piracie Sandokanie.

** Luciana Littizzetto to urodzona w 1964 roku aktorka telewizyjna i kabaretowa, pisarka i osobowość telewizyjna. *La Jolanda furiosa* (2008, aluzja

Jednak moja Jolanda była kobietą więcej niż zwyczajną, ale... sami oceńcie.

Przeżywałem trudny finansowo okres. Giovanni, redaktor naczelny czasopisma poświęconego teatrowi, chcąc mi pomóc, zaproponował mi anonimową współpracę. Miał mi za nią płacić dwadzieścia tysięcy lirów miesięcznie*. Giovanni ożenił się z kobietą z pewnością nie najpiękniejszą, ale niezwykle sympatyczną, którą nazywał „generałem", ponieważ pracowała na wysokim stanowisku w Ministerstwie Wojny (tak to się wtedy nazywało, dopiero później odkryliśmy, że jesteśmy pacyfistami i Wojnę zamieniono na Obronę).

Nie mieli dzieci, a ponieważ generał wracała do domu po siedemnastej, jedzenie dla Giovanniego przygotowywała gospodyni domowa, Jolanda właśnie. Redakcja czasopisma mieściła się w małym pokoju w mieszkaniu Giovanniego, dzięki czemu przynajmniej dwa razy w tygodniu byłem zapraszany na obiad.

Jolanda była doskonałą kucharką. Pochodziła z Friuli, miała ponad pięćdziesiąt lat, chłopskie rysy twarzy, była niezwykle schludna i uporządkowana, usta otwierała tylko po to, by odpowiedzieć na zadane jej pytanie. Służyła w domu generał od piętnastu lat.

---

do *Orlando furioso*, czyli *Orlanda szalonego* najzupełniej oczywista) to jej siódma książka, ironicznie i dosadnie opisująca włoską obyczajowość. Męskim odpowiednikiem „Jolandy" jest u Littizzetto „Walter".

* Według przeliczenia wartości nabywczej suma ta odpowiada dzisiejszym 319 euro.

Tydzień poprzedzający oddanie pisma do druku był zawsze gorączkowy i napięty. Giovanni składał materiał w ostatniej chwili, a że lubił pracować do późna w nocy i sen miał kamienny, wymyślił całkowicie własną i oryginalną metodę budzenia go o ósmej rano. (Naturalnie generał wychodziła do pracy godzinę wcześniej). Pewnego razu było mi dane uczestniczyć w obrzędzie.

Jolanda delikatnie unosiła głowę i plecy śpiącego Giovanniego i rozkładała pod spodem nieprzemakalną płachtę sporych rozmiarów. Następnie brała dzbanek pełen lodowato zimnej wody i gwałtownie wylewała mu ją na głowę.

– Dziękuję – mówił Giovanni, otwierając oczy i zrywając się na równe nogi.

– Pomijając wszystko inne – zwierzył mi się pewnego dnia – to dobry sposób na odbarczenie nieuniknionej wrogości, jaka panuje między służącą a chlebodawcą.

Jestem jednak przekonany, że Jolanda nie żywiła wrogich uczuć wobec nikogo. A dla mnie stała się wręcz swego rodzaju siostrą miłosierdzia. W te dni, kiedy Giovanni był gdzieś zapraszany na obiad, ona nalegała, żebym ja mimo wszystko został. Wiedziała, że moje kieszenie nie urywają się od pieniędzy.

Maniery miała szorstkie, ale była wielkoduszna i delikatna.

Pewnego razu, na końcu jednego z tych samotnych obiadów, zapaliłem ostatniego papierosa, który mi został. Zaciągnąłem się trzy razy, zgasiłem i wsunąłem niedopałek z powrotem do paczki. Jolanda, zajęta w tym czasie sprzątaniem ze stołu, spojrzała na mnie pytająco.

– Tylko ten jeden mi został – wytłumaczyłem. – Muszę racjonować.

– Może zejdę i kupię panu nową paczkę?

– A jak za nie zapłacę?

Wróciłem do pokoju redakcyjnego. Giovanni zadzwonił do mnie, by przekazać, że wróci późno. Nie czekając na pojawienie się generał, pożegnałem Jolandę, włożyłem palto i wyszedłem.

Było zimno, włożyłem więc ręce do kieszeni i... znalazłem w nich dwie paczki papierosów, po jednej na kieszeń. Wyciągnąłem je, były tej marki, którą zwykłem palić. Pełen wdzięku, cichy dar Jolandy. Następnego dnia podziękowałem jej serdecznie. Dobrze odegrała swoją rolę. Udała, że nie wie, o co chodzi, powiedziała, że na pewno papierosy kupiłem sobie sam, a potem o nich zapomniałem.

Kiedy zachorowałem i leżałem sam w domu, dowiedziała się o tym i któregoś popołudnia zapukała do moich drzwi. Przez dwa tygodnie przychodziła codziennie, porządkowała mi mieszkanie, przygotowywała jedzenie. Zakupy oczywiście robiła sama, ze swoich pieniędzy.

Pewnego dnia Giovanni znalazł sponsorkę dla swojego projektu grupy teatralnej, która miałaby wystawiać jedynie nowe sztuki włoskich autorów. Była to dziewczyna z Mediolanu, kochanka bogatego markiza, która marzyła o karierze autorki dramatycznej.

Rozentuzjazmowani wynajęliśmy mały teatr, zaangażowaliśmy aktorów, mnie zaś przypadł obowiązek reżyserowania premierowej sztuki. Zaczęliśmy próby, scenograf zabrał się do pracy, krawiec do szycia kostiumów. Dziewczyna z Mediolanu nie potrafiła grać, skarżyłem się na to Giovanniemu, ale nie można było nic zrobić, musiałem ją zatrzymać, skoro wszystko zależało od jej pieniędzy.

Trzy dni przed próbą generalną dziewczyna znikła. Jej telefonu nikt nie odbierał, woźny z kamienicy, w której mieszkała, nie widział jej od dwóch dni. Później, w gazetach przeczytaliśmy o wybuchu słynnej afery Montesi, która poruszyła całą Italię* I z prawdziwym przerażeniem dowiedzieliśmy się, że wybuch wywołała właśnie nasza dziewczyna z Mediolanu, rzucając oskarżenie na swego kochanka markiza.

W rezultacie finansowanie projektu ustało. Byłem szczęśliwy, mogąc zastąpić dziewczynę prawdziwą aktorką, ale żeby wyjść na scenę, potrzebowaliśmy dwustu pięćdziesięciu tysięcy lirów.

Skąd wziąć podobną sumę? Giovanni mógł wyłożyć pięćdziesiąt tysięcy, ale jak zdobyć pozostałe dwieście?

---

* 11 kwietnia 1953 roku na plaży niedaleko Rzymu znaleziono zwłoki dwudziestoletniej kobiety, Wilmy Montesi. Jeden z wątków otwartego śledztwa dotyczył zeznań niejakiej Marii Augusty Monety Caglio Bessier d'Istria, córki mediolańskiego notariusza, która przybyła do Rzymu z nadzieją na zrobienie kariery aktorskiej i została kochanką markiza Uga Montany, arystokraty związanego z kręgami rządzącej wówczas we Włoszech chrześcijańskiej demokracji. Kobieta twierdziła, że Wilma Montesi uczestniczyła w orgii zorganizowanej w posiadłości markiza, przedawkowała narkotyki i alkohol i została porzucona martwa na plaży. Ponieważ te i inne zeznania obciążały wiele osób związanych ze światem polityki, śledztwo, jak również próby wyciszenia sprawy, wzburzyły opinię publiczną. Sprawa do dziś pozostaje niewyjaśniona.

Tak więc, podczas ponurego obiadu, który jedliśmy w jego domu, Giovanni zdecydował, że należy zrezygnować z projektu. Odsunąłem talerz z befsztykiem. Momentalnie straciłem apetyt, miałem ściśnięty żołądek. Rezygnacja z pierwszego osobiście reżyserowanego spektaklu nie była łatwa. Kto wie, kiedy znowu pojawi się taka okazja. Czułem się zniechęcony i rozżalony.

Podająca do stołu Jolanda musiała usłyszeć naszą rozmowę. W pewnym momencie powiedziała:

– Proszę wybaczyć, że się wtrącam.

Popatrzyliśmy na nią. Widać było wysiłek, jaki wkłada w słowa.

– Dwieście tysięcy mogę wyłożyć ja. Wezmę z moich oszczędności.

Sztuka poszła na scenę. Krytycy bardzo dobrze ocenili moją pracę. I w ten sposób zostałem prawdziwym reżyserem.

Dzięki Jolandzie, *la servante au grand coeur.*

Kerstin

Mój ojciec był pasjonatem i prawdziwym znawcą róż. Wybrał piękny kawałek ziemi w posiadłości swego teścia i przeobraził go w wielki ogród różany, którego doglądał osobiście przed wyjściem do biura i zaraz po powrocie.

W roku 1938 sprowadził z Holandii całe wagony sadzonek. Hodował róże wszystkich gatunków, odmian i kolorów, o każdej porze roku ogród był pełen kwitnących krzewów. Róż było tyle, że nie wiedząc już, komu by je podarować, dostarczał je za darmo kościołom do przyozdobienia wnętrza albo na chrzty lub śluby nawet nieznanych sobie rodzin.

W sierpniu 1943 roku nasz port szczelnie wypełniały alianckie okręty pełne broni, amunicji, pojazdów i żywności dla wojsk, które wylądowały na Sycylii miesiąc wcześniej. Wiele jednostek kotwiczyło na redzie i ładunki przewożono za pomocą amfibii. Tato został mianowany kapitanem portu i nie miał ani chwili wytchnienia. Obowiązek doglądania róż przeszedł na mnie.

Pewnego ranka, skończywszy pracę, zebrałem wielki bukiet róż (kwiaty były naprawdę wspaniałe) i zszedłem z nim do miasteczka. Przy pierwszych domach zauważyłem spacerującego oficera amerykańskiej marynarki handlowej, wysokiego, dobrze zbudowanego, jasnowłosego mężczyznę. Kiedy tylko mnie dostrzegł, przystanął zaskoczony, a potem ruszył za mną po wąskich uliczkach miasta. Z niepokojem zastanawiałem się, czego ten człowiek może ode mnie chcieć. Kiedy doszedłem do drzwi domu i szukałem klucza w kieszeni, podszedł do mnie i powiedział coś po angielsku. Odpowiedziałem gestami, że nie rozumiem, że nie mówię w jego języku. Wtedy wskazał na róże i dał mi do zrozumienia, że chciałby jedną. Na twarzy miał wypisane tak ogromne pragnienie, że wiedziony nagłym impulsem wręczyłem mu cały bukiet. Spojrzał z niedowierzaniem, twarz mu się rozpromieniła, po wielokroć dziękował, a potem wyciągnął z kieszeni kartkę i wieczne pióro i poprosił, bym zapisał swoje imię i adres. Kiedy to zrobiłem, uścisnął mi rękę i poszedł.

Tego samego popołudnia do naszych drzwi zapukał amerykański marynarz, wręczył mi bilecik i zaczekał na odpowiedź. Na kartce widniał napis w języku włoskim, mówiący, że dowódca statku *Rosenfeld*, kapitan Carl Jorgensen, będzie zaszczycony, mogąc gościć mnie na herbacie w dniu jutrzejszym o godzinie 17. W przypadku odpowiedzi potwierdzającej przybędą po mnie o godzinie 16.30. Napisałem równie formalny bilecik z potwierdzeniem i podziękowaniem i wręczyłem go marynarzowi.

Temu samemu, który następnego dnia przyjechał po mnie, punktualnie co do minuty. W porcie, gdzie panował ruch jak w godzinach szczytu, zaprowadził mnie do dużego pontonu, w którym czekał w gotowości inny marynarz. Odbiliśmy od brzegu, w kilka minut wypłynęliśmy z portu i klucząc między zakotwiczonymi statkami, dobiliśmy do burty *Rosenfelda*. Przy drewnianym trapie czekał już na mnie Jorgensen. Zaprowadził mnie do swej kabiny, która okazała się całkiem przestronna. Na stoliku leżały talerzyki z tartinkami, krewetki na liściach sałaty (nie mam pojęcia, jak ją zorganizowali), słone przekąski. Ubrany w nieskazitelny mundur marynarz podał nam herbatę. Na blacie małego biurka stały dwie fotografie w ramkach.

Jorgensen wziął jedną z nich i pokazał mi. Przedstawiała parterowy dom z dwuspadowym dachem otoczony zachwycającym ogrodem pełnym kwitnących róż. Zaczął opowiadać, jego słowa tłumaczył marynarz. Był to jego dom w Norwegii, a róże, które bardzo kochał, pielęgnował osobiście. Mój bukiet przypomniał mu o domu. W 1939 roku znalazł się wraz ze swoim statkiem w Ameryce i w wyniku oczywistych okoliczności nie mógł już powrócić do ojczyzny. Dołączył do Amerykanów, by walczyć z Niemcami. Potem wziął drugą fotografię. Zachwycająca, niespełna trzydziestoletnia kobieta, przedstawiona w całej okazałości. Długie, smukłe nogi, rozpuszczone włosy, ciało godne pin-up girl, jak to się wtedy mówiło. Ma na imię Kerstin, poinformował mnie marynarz, i jest żoną kapitana. Nie widział jej od pięciu lat, nie miał o niej żadnej wiadomości. Jorgensen zapytał, czy chcę jeszcze herbaty, odmówiłem, dziękując, nigdy za nią nie przepadałem. Podziękowałem, wstałem i mój wzrok padł na biblioteczkę. Zawsze byłem ciekawy książek, podszedłem więc, żeby popatrzeć na tytuły i autorów. W większości były tam kieszonkowe wydania Penguina, ale znalazły się także powieści Simenona i Gide'a w oryginale. Zapytałem go po francusku, czy książki należą do niego, czy też może znalazły się tam przez przypadek. Szeroko się uśmiechnął, nareszcie mogliśmy rozmawiać bez tłumacza. Odpowiedział, że książki są jego własnością, że często zawijał do portów francuskich, jak choćby Brest, i że francuski jest, obok angielskiego, językiem, którego uczył się w szkole. Poprosił, bym jeszcze z nim został. Usiadłem ponownie. Powiedział coś do marynarza, który posprzątał ze stołu i wyszedł. Jorgensen zapytał, czy lubię whisky. Odpowiedziałem twierdząco. Podszedł do dobrze zaopatrzonego barku, wyciągnął butelkę i dwie szklanki. Chciał dowiedzieć się więcej o różach i o mnie. Opowiedziałem mu, co było do opowiedzenia, pijąc i paląc camele. A później, ku mojemu zaskoczeniu, okazało się, że straciłem rachubę czasu.

Była już prawie ósma, ojciec zacząłby się martwić, gdybym nie wrócił o tej porze do domu.

Powiedziałem Jorgensenowi, że muszę już iść. Prosił mnie, żebym został, potrzebował podzielić się z kimś swoim osobistym sekretem. Był tak wzruszająco bezbronny w swojej prośbie, że się zgodziłem. Wyszedł, by posłać marynarza z wiadomością dla mojego taty. Otworzył następną butelkę. Później zapytał, czy chcę zjeść kolację. Odpowiedziałem, że nie, wolałem posłuchać jego opowieści.

– To nie jest łatwe – rozpoczął i natychmiast urwał.

Zaczął dywagować, opowiadać o swoich wojennych przygodach. Czuć było jednak, że myśli miał skierowane gdzie indziej. Dostrzegłem, że oczy mu się zaszkliły, nie wiadomo, czy za przyczyną whisky, czy z powodu intensywnych wewnętrznych przeżyć. Zapytał, czy może zdjąć marynarkę. Potem wstał, podszedł do biurka, otworzył zamykaną na klucz szufladę, wyciągnął z niej dwie duże koperty, otworzył grubszą z nich, wyciągnął plik jakichś pięćdziesięciu fotografii i położył przede mną bez słowa.

Na wszystkich fotografiach była jego żona. Wiele przedstawiało całą postać, ale były też zbliżenia twarzy, a nawet detale: uszy, usta, maleńki pieprzyk na szyi. Jakaś obsesja. Zaczął gorączkowo opowiadać. Kerstin jest Szwedką, powiedział, poznał ją w jakimś sklepie, zakochał się i trzy miesiące później wzięli ślub. Miesiąc miodowy spędzili w domku z różanym ogrodem, który kupił dwa lata wcześniej. Później, po spędzonym razem i bez chwili rozłąki miesiącu, musiał wypłynąć do Stanów Zjednoczonych i od tamtego czasu jej nie widział.

– Rozumie pan? – powtarzał. – Zaledwie miesiąc małżeńskiego życia! Pięć lat nieobecności.

Zaczął mówić o Kerstin, dwudziestoośmioletniej kobiecie, którą on, czterdziestopięciolatek, poślubił. Mówił, co lubiła jeść, co czytała, jakie filmy się jej podobały. Co ją rozśmieszało, a co wzruszało. Streścił mi nawet jej dwa sny, które mu opowiedziała po przebudzeniu. Zwierzył się, że Kerstin miała przed nim trzech mężczyzn i że w jednym z nich, trzydziestolatku o imieniu Olaf, była na poważnie zakochana.

Potem, po długiej pauzie, otworzył drugą kopertę. Znów zdjęcia Kerstin, lecz tym razem całkowicie nagiej. Także w tym przypadku z najbardziej intymnymi szczegółami. Zaczął opowiadać o jej preferencjach seksualnych, o tym, jaki rodzaj gry wstępnej szczególnie ją podniecał, co ją doprowadzało na szczyt rozkoszy, czego oczekiwała od niego... Wyznaję, że czułem się bardzo zażenowany i zaskoczony, nie sądziłem, że człowiek pochodzący z krajów nordyckich może posunąć się aż tak daleko. Ale Jorgensena nie dało się zatrzymać. I pił, wciąż pił. Wreszcie odłożył zdjęcia do kopert i umieścił je na powrót w szufladzie, którą zamknął na klucz.

Opowiadał dalej. Trawiła go jedna wątpliwość. Kerstin była bardzo młoda: czy po powrocie zastanie ją w domku z różami? A może związała się na powrót z tym Olafem, którego wcześniej kochała? Gdyby zastał ją w domu, przysięgał, że nie będzie jej zadawał kłopotliwych pytań. Zrozumiałby, gdyby coś się jej wydarzyło po drodze. Młodość to młodość i ma swoje prawa. Wszystko zniesie, byle tylko Pan dał mu łaskę spotkania jej tam, gdzie ją zostawił, wśród ogrodowych róż.

Wybuchnął płaczem. Potem poprosił mnie o wybaczenie, umył twarz, z powrotem włożył marynarkę, uścisnął mnie, powiedział, że następnego wieczoru wypływają, zawołał ordynansa i kazał mnie odprowadzić do domu. Zanim postawiłem nogę na trapie, uścisnąłem go i szepnąłem na ucho życzenie powodzenia.

Była głęboka noc. Natychmiast zapadłem w sen. I oczywiście śniłem, że kocham się z Kerstin. Wiedziałem o niej wszystko, jakbym ją znał od zawsze. Kilka następnych dni przeżyłem razem z nią, nie potrafiłem przestać o niej myśleć.

Pewnego marcowego przedpołudnia roku 1947 do portu zawinął statek z norweską banderą. Po południu do drzwi naszego domu zapukał marynarz i zostawił kopertę zaadresowaną na moje nazwisko. Przeczytałem ją wieczorem, kiedy przyszedłem na kolację. Był to list od Jorgensena, napisany po francusku. Kilka linijek, wyjaśniających, że korzysta z grzeczności kolegi, by przekazać mi wiadomość o sobie. Wrócił do ojczyzny i zastał Kerstin czekającą na niego. Był szczęśliwy, spodziewali się dziecka. Dziękował mi za cierpliwość i solidarność, jakie wykazałem w stosunku do niego. Było jeszcze postscriptum:

„Cette année les roses sont des merveilles!"*.

---

* Fr. *Tego roku róże są po prostu zachwycające.*

Ksenia

Pewnego dnia Paolo otrzymał telefon od Piera, swojego przyjaciela i kolegi po fachu, właściciela gabinetu dentystycznego w Varese. Zapraszał go do tej samej co zwykle restauracji nazajutrz wieczorem. Paolo przyjął zaproszenie tym chętniej, że nie widzieli się już jakieś pięć miesięcy. Piero wpadał czasem do Mediolanu i jeśli tylko mogli, szli razem na kolację.

Przy takich okazjach pierwszym, obowiązkowym tematem ich rozmów były wspomnienia z czasów studenckich – byli na tym samym roku – potem przechodzili do omawiania spraw bieżących.

Żaden z nich nie miał powodów, by narzekać na swoją sytuację zawodową. Obaj świeżo po czterdziestce, posiadali, odpowiednio, w Mediolanie i Varese własne, luksusowe i cieszące się dobrą opinią gabinety, mieli bogatą klientelę i doskonały stan konta w banku.

Stąd też teraźniejszość w ich rozmowach dotyczyła głównie kobiet.

Piero był żonaty i miał pięcioletniego syna, lecz był też niepoprawnym kobieciarzem i opowiadał przyjacielowi o swoich licznych przygodach. Paolo zaś był wciąż kawalerem, ale miał długą i burzliwą relację z pewną mężatką i sądził, że jest w niej zakochany. On też zwierzał się przyjacielowi ze swych miłosnych udręk.

Tego wieczoru Piero pominął wspomnieniową preambułę i przeszedł od razu do teraźniejszości.

Opowiedział przyjacielowi, że ponad cztery miesiące wcześniej w jego gabinecie ukazało się zjawisko z marzeń sennych, dwudziestopięcioletnia Ukrainka o imieniu Ksenia, wysoka, z włosami w kolorze dojrzałej pszenicy, świetnymi, długimi nogami i biustem, o którym lepiej nawet nie wspominać. Przekazała mu list od profesora Panzaniego, ich dawnego wykładowcy na uniwersytecie, z którym Piero utrzymywał dobre kontakty. Profesor prosił swego byłego studenta o przysługę i przyjęcie do pracy w charakterze asystentki stomatologicznej tej właśnie dziewczyny, córki jego ukraińskiego kolegi, zanim zdobędzie dyplom higienistki dentystycznej. Ksenia okazała pozwolenie na pobyt we Włoszech i inne dokumenty, wszystko bez zarzutu, wraz z entuzjastycznymi rekomendacjami z trzech gabinetów dentystycznych, dwóch ukraińskich i jednego włoskiego, gdzie wcześniej pracowała.

Piero przyjąłby ją, nawet gdyby została wcześniej skazana na dożywocie za krwawy zamach terrorystyczny i właśnie uciekła z więzienia o podwyższonym rygorze.

Żeby nie przedłużać opowieści: już w tydzień po podjęciu pracy Ksenia przekraczała próg dyskretnego apartamenciku, który Piero wynajmował w celu wiadomym.

Od tej chwili stała się jego wyłącznym gościem, ponieważ, jak Piero wyjaśnił przyjacielowi, po pierwsze, zakochał się w niej obłąkańczo i ze wzajemnością (choć tu stopień obłędu był, zdaje się, niższy), a po drugie, w pożyciu intymnym Ksenia była wyczerpująca. Jedna, że tak powiem, rozmowa z nią pozostawiała człowieka głuchym na całą kolejną dobę.

Ponadto Piero odkrył też z czasem inne zalety dziewczyny, jak łagodność charakteru, dobroć, altruizm, bezinteresowność, a nade wszystko zachowanie naznaczone w najwyższym stopniu oddaniem i lojalnością. Nie tylko wspaniała kochanka, ale i towarzyszka, na którą zawsze można liczyć.

Wszystko szło gładko aż do trzech dni wstecz.

Nawarstwienie różnych okoliczności sprawiło, że przez cały tydzień nie mogli się spotkać sam na sam. Owego przeklętego wieczoru Paolo zwolnił wcześniej recepcjonistkę, która miała klucze do gabinetu, mówiąc jej, że on dziś zamknie. Kiedy tylko zostali sami z Ksenią, zabrali się natychmiast do zaspokajania narosłego głodu na tapczanie w poczekalni.

Nie wiedzieli, że tym razem los sprzysiągł się przeciwko nim.

Otóż żona Piera zauważyła, że mąż zapomniał kluczy do domu, i postanowiła przynieść mu je sama, tym bardziej że ich mieszkanie znajdowało się niedaleko gabinetu.

Przyszła, otworzyła, weszła, zobaczyła, krzyknęła, zemdlała. Finałem było natychmiastowe zwolnienie Kseni.

– I teraz – powiedział Piero – ty wchodzisz do gry. Proszę cię w imię naszej przyjaźni: zatrudnij Ksenię. Tylko musisz ją mieć przy sobie, jako asystentkę przy fotelu. Do ciebie mam zaufanie. A ja tak sobie wszystko zorganizuję, żeby wpadać do niej do Mediolanu przynajmniej raz w tygodniu. Jestem zrozpaczony, nie mogę jej zostawić. – I dodał z ponurym wyrazem twarzy: – W przeciwnym wypadku jestem gotów opuścić żonę i dzieci i zamieszkać z nią.

Paolo przystał na prośbę, głównie z lęku przed tym, że przyjaciel może rzeczywiście doprowadzić do rozbicia swojej rodziny. Uzgodnili, że Piero przyjedzie w ciągu maksymalnie czterech dni.

Ustalonego dnia Ksenia pojawiła się w gabinecie. Była jeszcze piękniejsza, niż to wynikało z opowieści Piera.

Jej obecność natychmiast poskutkowała zauważalnymi zmianami w zachowaniu pacjentów.

Paolo zaobserwował, że ci, których znał jako najbardziej przestraszonych, ci, którym wystarczył sam dźwięk wiertła, by obficie zlewali się potem, kiedy tylko Ksenia z uśmiechem pochylała się nad nimi, by zmienić im gazik, i z konieczności zbliżała obszerny dekolt na odległość kilku centymetrów od ich oczu, przyjmowali pozę nieustraszonych i gotowych na wszystko.

I na odwrót, najdzielniejsi pacjenci zachowywali się teraz jak dzieci, żądając, by Ksenia podała im kubek z wodą po to tylko, by chwilę później podtrzymała im głowę, kiedy wypluwali zawartość do basenu.

Po sześciu dniach milczenia ze strony Piera Paolo zapytał o niego Ksenię. Odpowiedziała, że ona też nic nie wie. Dodała, że Piero prosił, by do niego nie dzwoniła. Poczuł się zaskoczony. To nie wyglądało na działanie typowe dla ślepej namiętności. Co się mogło stać? Nazajutrz rano zatelefonował do gabinetu Piera w Varese.

Wyczerpanym głosem kolega poinformował go, że nie może się nigdzie ruszyć, że żona trzyma go pod ścisłą kontrolą, że ma szpiegów nawet w jego gabinecie, że zagroziła mu rozwodem, co oznaczałoby dla niego ruinę, ponieważ to ona wyłożyła pieniądze na zakup gabinetu, i żeby z łaski swojej powiedział Kseni, by była cierpliwa, bo prędzej czy później znajdzie jakieś rozwiązanie...

Bardzo ostrożnie Paolo zreferował wszystko Kseni. Dziewczyna popatrzyła na niego, uśmiechnęła się i powiedziała:

– Tego się spodziewałam. Nigdy nie zaryzykuje kłótni z żoną.

Nie wydawała się zbolała. Wręcz przeciwnie, dodała:

– Jak to się mówi: umarł król, niech żyje król.

I pocałowała go czule w kącik ust. Zatrzymując się tam trochę dłużej, niż to było w zwyczaju.

Tak oto Paolo zrozumiał, że stał się kandydatem do tronu. Przez kilka dni udawał wobec niej obojętność, także dlatego, że ciążyła mu myśl, iż mógłby zrobić przykrość Pierowi. Ale nie potrafił zapomnieć dotyku tych miękkich ust na swojej skórze.

Pięć dni po tamtym pocałunku, i to w sposób zupełnie niezamierzony, nastąpiła gwałtowna zmiana w relacji z kobietą, w której, jak dotąd sądził, był zakochany. Na dodatek ze śmiechu wartych powodów. Padły ostre słowa, takie, że nie wierzyli, by mogły kiedykolwiek wyjść z ich ust. Rozstali się.

W tym samym czasie relacja z Ksenią również uległa gwałtownej zmianie, ale w odwrotnym kierunku.

Każdego kolejnego dnia Ksenia była bardziej serdeczna, czuła, uważna, wpatrywała się w niego, uśmiechała się i przechodząc, dotykała go lekko, chcąc mu niejako fizycznie dać odczuć swoją obecność.

Aż w końcu zwyciężony Paolo opuścił gardę. Zaprosił ją na kolację, a potem na kieliszek w swoim mieszkaniu. Po tamtej nocy już się nie rozstali.

Po miesiącu Paolo poprosił ją o rękę.

Ale Ksenia odrzuciła oświadczyny.

Zrozpaczony Paolo chciał poznać powód.

Ksenia uparcie odmawiała.

W końcu Paolo ją przekonał.

Ksenia powiedziała, że robi to z szacunku dla niego: nie zauważył tego, ale jest w ciąży. To się musiało stać wtedy, kiedy po raz ostatni była z Pierem, tamtego przeklętego wieczoru w jego gabinecie.

Dla Paola był to cios, ale w tej samej chwili, w której Ksenia mu to mówiła, zrozumiał, że nie może bez niej żyć.

Pobrali się w urzędzie stanu cywilnego trzy miesiące później, tylko w obecności świadków.

Tego samego dnia, którego wrócili z podróży poślubnej, po południu Paolo postanowił wpaść na chwilę do gabinetu, który wynajął koledze.

Powiedział Kseni, że wróci koło ósmej i zabierze ją na kolację. Jednak udało mu się być z powrotem już godzinę wcześniej.

Wchodząc, usłyszał, że Ksenia rozmawia przez telefon.

– Nie mówiłam ci, że to zadziała? Teraz to on jest oficjalnie ojcem dziecka. Wszystko załatwione jak trzeba. Piero, kochanie moje, kiedy się zobaczymy? Już nie daję rady żyć tak długo bez ciebie.

Louise

Właśnie ona, Louise Brooks. Któż by inny?

W roku 1925, mając dziewiętnaście lat, debiutuje jako tancerka w Rewii Ziegfelda na Broadwayu, ale już wcześniej uczy się pod kierunkiem genialnej odnowicielki współczesnego tańca, Marthy Graham.

„W moim początku jest mój kres", jak by powiedział Eliot. Albo lepiej, w moim początku skondensowało się już całe moje życie. Albowiem kształtowanie się Louise dokonuje się pod znakiem poszukiwań, eksperymentów, indywidualnej kreatywności, a później dostosowuje do legendarnych tańców broadwayowskiej rewii, z pewnością pełnych polotu, ale też nieco pruskich, gdzie trzydzieści praktycznie identycznych dziewcząt, niczym mechaniczne lalki, wykonuje w doskonałej synchronii te same ruchy. A całe życie Louise biegnie pod znakiem sprzeczności.

Przepiękna, o oszałamiającej figurze, miękkich i sprężystych zarazem nogach tancerki najwyższej klasy, obdarzona inteligencją i wielką osobowością, miała w ręku wszystkie atuty, by natychmiast odnieść sukces w Hollywood epoki kina niemego. Tymczasem w latach 1926–1928 gra w mniej więcej dziesięciu filmach, jednak żaden z jej reżyserów, nawet tak wybitnych jak Howard Hawks i William Wellman, nie zauważa, jaki skarb, albo należałoby wręcz powiedzieć: jaką bombę, mają w ręku.

W latach 1928–1929 Malcolm St. Clair i Frank Tuttle, którzy mieli reżyserować na cztery ręce nowy film, a każdy z nich pracował już z Louise przy okazji kręcenia innych obrazów, w momencie rzadkiego olśnienia wybrali ją do głównej roli. Film nosi tytuł *The Canary Murder Case* i jest adaptacją świetnego kryminału pod tym samym tytułem autorstwa S.S. Van Dine'a.

Louise, grająca rolę tancerki z nocnego lokalu (co zresztą przyjdzie jej robić w przyszłości), nosząca kostium z piór w kanarkowych barwach, przyciągała jak magnes spojrzenia widzów, głęboko poruszonych jej urokiem. Była to dopiero zapowiedź tego, co miało się wydarzyć niedługo później. Film odniósł międzynarodowy sukces.

Na pewno widział go w Niemczech wielki reżyser Georg Wilhelm Pabst, który natychmiast ściągnął aktorkę, by powierzyć jej główną rolę w filmie *Puszka Pandory* na podstawie sztuki Franka Wedekinda. Tego samego 1929 roku i również z Louise w roli głównej, Pabst nakręcił *Dziennik upadłej dziewczyny*.

Zdaniem wielu znawców kina, te dwa filmy stanowią wzlot i bezdyskusyjne potwierdzenie wielkości tej wyjątkowej i niepowtarzalnej aktorki.

W *Puszce Pandory*, odtwarzając postać Lulu, Louise dokonuje cudu: łączy w całość każdy możliwy aspekt kobiecości w całej jej pełni.

Z czarnymi włosami uczesanymi na pazia, z tą jej grzywką (jeśli mnie pamięć nie myli, mówiło się kiedyś „à la garçonne"), każdy ruch jej zmysłowego ciała był hymnem na cześć namiętności, ale już sekundę później przejrzystość i czystość jej spojrzenia stawały się pieśnią sławiącą wzniosłą kobiecość.

Perfidia i niemoralność koegzystujące z niewinnością i czystością.

To wieczne przeciwstawienie, odbijające się też w życiu samej Louise, znajduje w granej przez nią postaci magiczny moment doskonałej równowagi.

Louise pojawia się na ekranach z oślepiającym blaskiem i krótkotrwałością godną przelatującej komety.

W następnym roku w Paryżu włoski reżyser Augusto Genina obsadzi ją w swym obrazie pod tytułem *Prix de Beauté*, który wyznacza początek równi pochyłej. Nie dlatego, by Louise nie była wciąż tą wielką, niedościgłą aktorką, którą okazała się we współpracy z Pabstem, lecz dlatego, że nie znajduje już wokół siebie ludzi zdolnych wydobyć po sokratejsku tego, co najlepsze w jej pod wieloma względami niepokojącej i złożonej osobowości.

Augusto Genina z pewnością nie był kimś takim i zemścił się, za klapę filmu zrzucając winę na Brooks, opowiadając, że spędzała całe noce na pijaństwie i przygodnym seksie, że rano musieli przywozić ją na zdjęcia owiniętą w kołdrę, bo jeszcze spała i odmawiała wstania... Prawda czy nie, wszystko to przyczyniło się do powstania legendy Lulu, tak bowiem została przezwana Louise: rozwiązłej, pożądliwej, po prostu zatraconej kobiety.

Kilka lat później, również z powodu nastania ery dźwięku, jej postać zeszła w cień i została zapomniana. Teraz triumfy święcił błękitny anioł, Marlena Dietrich, ale w porównaniu z Louise jej tak sławiona zmysłowość nie sięgała, uwierzcie mi, poziomu pensjonarki.

Louise wróciła do Stanów Zjednoczonych, pracowała jako tancerka w nocnych klubach, wzięła udział w jednym czy drugim drugorzędnym filmiku, próbowała kariery aktorki radiowej, zestarzała się w zapomnieniu.

Nie mógł jednak zapomnieć jej ktoś, kto widział ją w dwudziestym ósmym, i ktoś młodszy, kto mniej lub bardziej przypadkowo natykał się na nią w kinotekach.

Później młodzi Francuzi z „Cahiers du cinéma", Godard, Truffaut i towarzysze, odkryli ją, słusznie zamarli w zachwycie i zaczęli wychwalać. Zaprosili ją do Francji, zorganizowali pokazy jej najsłynniejszych filmów.

W roku 1965 na łamach czasopisma komiksowego „Linus"

pojawia się pierwszy odcinek przygód niejakiej Valentiny, zatytułowany *La curva di Lesmo* (Zakręt Lesmos*). Postać tę stworzył wielki rysownik Guido Crepax. Ja, a wraz ze mną liczni miłośnicy Brooks, byliśmy mu wdzięczni za obdarzenie Valentiny rysami twarzy wielkiej aktorki.

Spóźnione uznanie popchnęło ją do nowego zajęcia. Louise była kobietą bardzo dobrze wykształconą i oczytaną. Zaczęła pisać eseje na temat kina niemego, które wydała później w jednym tomie, a przez jakiś czas prowadziła własną rubrykę w piśmie poświęconym krytyce filmowej.

Później znów zapadła cisza. Zmarła w 1985 roku.

Jedna rada. Żeby wiedzieć, co to znaczy kobiecość, kupcie sobie DVD z dwoma filmami Pabsta. Potem nie będziecie musieli pytać już o nic więcej.

---

* Chodzi o zakręt na torze Formuły 1 w Monzy.

Lulla

Mirella i Lulla były siostrami. Lulla miała dwadzieścia dwa lata, Mirella dwadzieścia. Kiedy rankiem schodziły z willi rodziców na pobliską, uczęszczaną chyba tylko przez mieszkańców okolicznych domów plażę w zatoczce, na Mirellę czekało już towarzystwo siedmiu czy ośmiu adoratorów. Lulla miała ich tylko dwóch: Gioacchina, krępego chłopaka o niemal czarnej skórze, pałąkowatych nogach, czole wysokim na palec – praktycznie rzecz biorąc, brakującego ogniwa w teorii ewolucji – i pięćdziesięcioletniego *cavaliere* Guttadauro, posiadacza ziemskiego, brzuchatego, bezdzietnego wdowca, który patrzył w nią jak w obrazek. Mirella była piękną blondynką, wysoką i smukłą, o doskonałych, szczupłych nogach, wspaniale się poruszającą. Lulla była rudzielcem o masywnym biuście, nieproporcjonalnej budowie ciała, masą piegów i pieprzyków rozsianych po całym ciele i chodziła, a właściwie niemal podskakiwała pochylona nieco do przodu, z dyndającymi bezwładnie, zbyt długimi rękami.

Naturalnie wielbiciele Mirelli, z jednym wyjątkiem, wyśmiewali obu absztyfikantów Lulli i zastanawiali się, co takiego w niej widzą.

Tylko Gianni sądził, że ich rozumie. Także Lulla miała swój urok.

Przeciętnej inteligencji, ale nie głupia, pozbawiona wyczucia żartu i dwuznaczności, zawsze nieco zmarszczona i niezbyt miła, była doskonałym przykładem kobiety pierwotnej. Niekiedy Gianni zastanawiał się, jak by z nią było w łóżku, i wyobraźnia podsuwała mu całkiem pikantny obraz, który cofał go w czasie o całe tysiąclecia, do epoki człowieka jaskiniowego.

Wiadomo było, że od czasu do czasu Mirella, z nudy, sympatii czy innych, tylko jej znanych powodów, oddawała się przelotnie któremuś ze swych adoratorów, Lulla zaś była w tej kwestii bastionem nie do zdobycia. Wydawało się, że jej idealnym partnerem powinien być na zasadzie podobieństwa chłopak o niskim czole i pałąkowatych nogach: doskonale rozumieli nawzajem swoje gesty i warknięcia, mówiono jednak, że przy próbie bardziej odważnych awansów Lulla rozłożyła go na łopatki jednym ciosem w twarz. *Cavaliere* Guttadauro próbował zaś zdobyć ją ciągłymi podarunkami, kolczykami, bransoletami, naszyjnikami, których jednak Lulla nigdy nie zakładała.

Jeśli chodzi o Mirellę, Gianni uważał, że nie ma u niej najmniejszych szans. Fizycznie był chodzącym kościotrupem,
chłopcy otaczający dziewczynę mieli zaś atletyczną budowę
ciała i niczym olimpijscy mistrzowie popisywali się przed nią
biegami, zapasami, skokami i zawodami pływackimi. Gianni
był biedny, a wszyscy pozostali, synkowie swoich tatusiów, za-
praszali ją do luksusowych restauracji.

Pewnego dnia jeden z chłopaków zapytał Gianniego w imieniu swojego brata, który nie należał do paczki, czy to nie on
wygrał regionalny turniej szachowy komentowany w radiu i gazetach. Gianni potwierdził. I nareszcie Mirella raczyła obdarzyć
go spojrzeniem mniej roztargnionym niż zazwyczaj. Od tego też
dnia widocznie zmienił się jej stosunek do niego. Teraz, kiedy
wśród religijnej ciszy obecnych opowiadała o sobie, spojrzeniem
szukała wzroku Gianniego, jakby chciała spytać, co sądzi o tym,
co mówiła.

Do domu na obiad pierwsza wracała Lulla, Mirella przychodziła jakieś dziesięć minut później, otoczona świtą admirato-
rów. Pewnego dnia przy drzwiach willi pożegnała wszystkich
i zwróciła się do Gianniego:

– Ty zostań, mam ci coś do powiedzenia.

„Czy to znaczy, że wybrała mnie na swoją godzinkę miłości?" – pomyślał rozemocjonowany, podążając za nią.

Wprowadziła go do czegoś na kształt przedpokoju. Zamknęła drzwi, usiadła obok niego na tak ciasnej sofie, że ich ciała stykały się ze sobą. Boże, jak pachniała jej skóra! Potem zamknęła
w dłoniach rękę Gianniego.

– Kochasz mnie?

Gianniego zatkało. Głosem duszonego koguta wydobył z siebie „tak".

– Więc musisz mi wyświadczyć przysługę. Wiem, że nie odmówisz. To jest bardzo delikatna sprawa. Chodzi o Lullę. Kiedy miała osiemnaście lat, zakochała się bez pamięci w kimś, kto ją wykorzystał, a potem znikł. Od tamtego czasu Lulla nie... no wiesz... A ty... ty bardzo przypominasz jej tego chłopaka, w którym była zakochana, wyglądasz prawie jak jego brat bliźniak. W każdym razie Lulla powiedziała mi, że cię chce. A kiedy ona wbije sobie do głowy, że czegoś chce, i tego nie dostaje, nawet sobie nie wyobrażasz, do jakiej katastrofy potrafi doprowadzić. Kiedyś, kiedy mama nie kupiła jej wymarzonej sukienki, podpaliła cały dom. Musiała przyjeżdżać straż pożarna. Dlatego bardzo cię proszę...

Kiedy mówiła, Gianni osunął się na ziemię, robiąc sobie przy tym nieco krzywdy.

– Dla ciebie wszystko, co chcesz. Ale co mam dokładnie zrobić?

– Jutro, zamiast towarzyszyć mi na plaży, idź do niej.

– Razem z Gioacchinem i *cavaliere* Guttadauro?

Ucięła temat, nachylając się i lekko całując Gianniego w usta.

– W takim razie co, zgoda?

– Zgoda.

Następnego dnia Gianni przyszedł nieco później. Minął grupę adoratorów Mirelli i ku ich zaskoczeniu skierował się w stronę Lulli, siedzącej kilkanaście metrów dalej. Jednak najbardziej zaskoczeni byli Gioacchino i *cavaliere*, gdy zobaczyli, że chłopak kładzie się koło nich. Tymczasem Lulla zdawała się go nie zauważać, cały czas rozczesując sobie włosy.

– Pójdziemy się wykąpać? – zaproponował *cavaliere*, kiedy obiekt jego westchnień skończył się czesać.

– Nie – odpowiedziała Lulla. – Idź ty z Goacchinem. Teraz. Już!

To był rozkaz. Wstali natychmiast i pobiegli w morze.

Lulla rzuciła Gianniemu krzywe spojrzenie. Poczuł się zakłopotany. Czy była to manifestacja uczuć miłosnych? A może był to tylko żart ze strony Mirelli i jej towarzyszy? Wtedy Lulla przemówiła:

– Teraz idę do domu, a ty przyjdź potem.

– Ale jeśli twoi są w domu...

– Nie ma nikogo przez całe przedpołudnie.

Wstała i poszła do domu. Mirella musiała mieć ją na oku, bo też wstała i z całym towarzystwem pobiegła w stronę morza. Dokonały manewr odwracający uwagę. Dzięki temu nikt nie zauważył, że Gianni wchodzi do domu dziewczyn.

– Gdzie jesteś? – zawołał z przedpokoju.

– Tu – odezwała się z oddali. – Wejdź na górę.

Willa była jednopiętrowa. Wszedł po schodach. Na piętrze znajdowały się trzy sypialnie, jedna z nich małżeńska. Lulla była w swoim pokoju na końcu korytarza.

Gianni wszedł i aż podskoczył. Czekając na niego, Lulla zdążyła już zdjąć kostium kąpielowy. Bez słowa, wciąż naburmuszona, podeszła do niego i opuściła mu spodnie. Pod nimi Gianni miał kąpielówki.

– Grrr – warknęła wściekle.

Bojąc się kłopotów, Gianni pozbył się ich błyskawicznie. Wskazała mu krzesło. Rozciągnęła się na jego kolanach brzuchem w dół.

– Policz mi kropasy – powiedziała.

– To znaczy? – zapytał Gianni. Nigdy wcześniej nie słyszał tego wyrażenia.

– Te – odpowiedziała, wskazując na piegi.

Nie było chyba milimetra kwadratowego na jej skórze, który nie miałby swojej własnej czerwonawej plamki.

– Ale to jest niemożliwe!

– Zaczynaj, ale już! – rozkazała, szczypiąc go w łydkę tak mocno, że aż popłynęły mu łzy.

– Skąd mam zacząć?

– Stąd – odpowiedziała, wskazując miejsce pod lewym pośladkiem.

Gianni zaczął liczyć. Lulla pociła się i emanowała specyficznym zapachem, czymś między piżmem a wonią dzikiego królika. Gdy doszedł do dwustu, zaczęła się poruszać na Giannim. Przy trzystu cała się wiła. Liczenie wyraźnie ją podniecało. W pewnym momencie nie wytrzymała i wydobywając z siebie gardłowe dźwięki, zerwała się na równe nogi. Potem wszystko odbyło się jak w erotycznej fantazji Gianniego, tyle że role zostały odwrócone. Lulla wyciągnęła rękę, złapała go za włosy i tak ściągnęła z krzesła, że upadł na kolana. Następnie zaciągnęła go, dosłownie, w stronę łóżka. Brakowało jej tylko maczugi w drugiej ręce. Potem kazała mu wstać, chwyciła go za biodra i rzuciła na łóżko. Sekundę później siedziała już na Giannim i rozpoczął się gwałt i tortury. Kiedy tylko bezwiednie wykazywał jakieś oznaki zmęczenia, natychmiast przywoływało go do porządku uderzenie w policzek lub cios w podbródek. Albo też chwytała go oburącz za głowę, unosiła i dwa lub trzy razy uderzała nią o metalową ramę wezgłowia. A wszystko to z towarzyszeniem jaskiniowych warknięć, pomlaskiwań i pomruków.

Wreszcie uznała, że ma dość, i zamknęła się w łazience. Gianni pospiesznie się ubrał i wziął nogi za pas.

Po południu zadzwonił do Mirelli. Nie pozwoliła mu mówić.

– Dzięki za Lullę – powiedziała. – Nie masz pojęcia, jak...

– Dobrze – przerwał Gianni – ale chciałem ci powiedzieć, że ja drugi raz czegoś takiego...

– Czyli nic nie zrozumiałeś. Nie będzie drugiego razu. Lulla dostała to, czego chciała, i już jej przeszło. Jutro możesz spokojnie wrócić do mnie.

Maria

Jest takie powiedzenie, że pierwszej miłości nigdy się nie zapomina. I rzeczywiście, oto jestem, żeby ją wspominać. Słodką i banalną jak wszystkie pierwsze miłości, którym dopiero brzemię pamięci nadaje znaczenie.

Miałem niespełna piętnaście lat i właśnie wygrałem *ludi juveniles* w dziedzinie teatru na szczeblu prowincji*. Owe *ludi* były dorocznym wydarzeniem kulturalnym doby faszystowskiej, rodzajem współzawodnictwa młodzieży uczącej się w liceach i innych szkołach średnich, mającym na celu wybranie najle-

---

* Wł. *provincia* to odpowiednik naszego powiatu.

piej przygotowanych w różnych dziedzinach kultury uczniów i wystawienie ich do konkursu na szczeblu krajowym. Utwór, który miałem wystawić na scenie, został mi narzucony z góry. Były to dosyć mierne *Le Montagne* (Góry) Giuseppe Romualdiego. Na przesłuchanie przyszło około dwudziestu uczniów płci obojga. W większości przypadków ich obecność nie była podyktowana miłością do teatru, lecz faktem, że w ten sposób można było uniknąć męczących zgromadzeń zwoływanych w sobotnie popołudnia. Było osiem ról do rozdania, miałem więc z czego wybierać. Zaczęliśmy próby. Natychmiast, z racji jej naturalnego usposobienia, na pierwszy plan wysunęła się Maria, moja rówieśnica uczęszczająca do seminarium nauczycielskiego: kruczoczarne loki, ogromne oczy o hebanowych źrenicach i karminowe, wydatne, zmysłowe usta. Poruszała się jak kotka i niczym kotka miała szybki refleks i zmienne usposobienie. Zakochałem się od pierwszego wejrzenia. Jednak byłem reżyserem, musiałem utrzymywać dystans. Po próbach nie zostawaliśmy nawet na minutę dłużej, każdy wracał do swojego domu, poza tym pilnowała nas czujna, zawsze umundurowana inspektorka szkolna. Kiedy wchodziłem na scenę, by przekazać aktorom uwagi, unikałem za wszelką cenę spojrzenia Marii. Jeśli miałem jej coś powiedzieć, podnosiłem wzrok pół metra nad jej głową. Naturalnie zauważyła to. Pewnego dnia znaleźliśmy się naprzeciwko siebie w korytarzu. Szedłem dalej ze wzrokiem utkwionym w ścianie, aż usłyszałem, jak mówi:

— Popatrz na mnie.

– No, nareszcie – skomentowała z uśmiechem, kiedy cały czerwony odwróciłem się do niej.

I poszła dalej.

Przedstawienie poszło świetnie. Sekretarz federalny, najwyższy rangą hierarcha partyjny w prowincji, przyszedł nam pogratulować i oznajmił, że w następnym tygodniu mamy się udać do Palermo, na eliminacje regionalne*. Konkurujących grup teatralnych było osiem, a jury mające wybrać jeden spektakl na konkurs finałowy we Florencji przyjechało z samego Rzymu. Mieliśmy wystąpić jako pierwsi i zostały nam tylko dwa dni na próby i przygotowanie sceny i świateł. Dostaliśmy do dyspozycji autobus i małą ciężarówkę na rekwizyty. O szóstej rano, niezwykle podekscytowani, wyruszyliśmy w drogę. Od razu po przyjeździe udałem się razem z technikami do teatru. Wyszedłem z niego dopiero dwa dni później, wieczorem, po odegraniu przedstawienia przed konkursowym jury. Ruszyliśmy z powrotem do Agrigento o dwudziestej pierwszej, po skromnym poczęstunku. Było ciemno. Usiadłem sam w ostatnim rzędzie z czterema fotelami pozbawionymi podłokietników. Maria również siedziała sama, jeden rząd przede mną. Po dziesięciu minutach od wyjazdu opadło napięcie, które aż do tej pory nas napędzało. W autobusie robiło się coraz ciszej. Niedługo potem zasnęła szkolna inspektorka, a wraz z nią pozostali.

I wtedy Maria wstała i przysiadła się do mnie. Bez słowa ścisnęła moją rękę. Siedzieliśmy tak przez jakiś czas, nasze ciała

---

* Wł. *regione* to odpowiednik naszego województwa.

stykały się ze sobą. A potem, na jakimś zbyt ostro wziętym przez kierowcę zakręcie, zarzuciło ją na mnie.

Objąłem ją i mocno przytrzymałem. Bałem się, że wszystkich w autobusie obudzi łomotanie mojego serca. Ona odwzajemniła się, oplatając mnie ramieniem. Spuściłem głowę, która spoczęła kilka centymetrów nad jej szyją.

Nigdy dotąd nie czułem z tak bliska obezwładniającego zapachu dziewczęcej skóry. Przestałem myśleć, brzęczało mi w uszach, zalała mnie fala gorąca. Nim się pocałowaliśmy, głęboko westchnęła.

Historycy kina mówią, że scena najdłuższego pocałunku pochodzi ponoć z filmu Hitchcocka *Osławiona*. Nasze wargi spotkały się w miejscowości Lercara Friddi i rozłączyły sto dwadzieścia pięć kilometrów dalej. Zapewne był to pocałunek mało doświadczony, zgoda, ale to i tak całkiem przyzwoity rezultat.

Odtąd staraliśmy się potajemnie widywać każdego dnia.

Byliśmy zakochani po uszy. Zacząłem jednak doświadczać jej zazdrości. Nie zrobiłem nic, czego miałbym się przed nią wstydzić, jednak Maria zawsze potrafiła do czegoś się przyczepić.

– Dlaczego tak długo trzymałeś rękę Giovanny przy pożegnaniu?

I piorunowała mnie wzrokiem.

Kiedy naprawdę się złościła, bałem się jej wzroku. Jej oczy były niczym lustra zapalające*.

---

* Podanie głosi, że podczas obrony Syrakuz przed Rzymianami w 214– 212 r. p.n.e. Archimedes skonstruował lustro skupiające promienie słoneczne, za pomocą którego spalił okręt rzymski.

Po pewnym czasie oznajmiono nam, że wygraliśmy współzawodnictwo na szczeblu regionalnym. W związku z tym mieliśmy pojechać do Florencji na międzynarodowy zlot młodzieży faszystowskiej, w ramach którego odbywał się konkurs finałowy. We Florencji spotkaliśmy rówieśników z Hiszpanii, Portugalii, Francji, Chorwacji, Niemiec, Rumunii, Węgier, a nawet z Japonii. My, Włosi, spaliśmy w wielkich namiotach rozbitych w Parco delle Cascine, dziewczęta zaś w szkołach zamienionych na dormitoria. Spotkania, próby i pokazy odbywały się z reguły przed południem, popołudnia przeznaczone były na swobodne kontakty.

Sądzę, że nie było we Florencji bramy, która nie gościła naszego pocałunku, krótszego bądź dłuższego, ale coraz bardziej doświadczonego i namiętnego. Nasze pieszczoty stały się, jakby to powiedzieć, dorosłe, świadome i jednocześnie coraz więcej odkrywały, ale nie ośmieliliśmy się przekroczyć pewnej granicy.

W tym czasie zazdrość Marii ocierała się o paroksyzmy, zwłaszcza kiedy od czasu do czasu nieostrożnie rzuciłem przelotne spojrzenie na jakąś piękną fräulein albo señoritę. Któregoś dnia jakaś śliczna Węgierka zatrzymała nas, by zapytać o coś, czego nie rozumieliśmy. Olśniło mnie i zapytałem po łacinie, czy uczyła się języka Horacego. Odpowiedziała, że tak. Dzięki temu mogliśmy się porozumieć i udzieliłem jej informacji, jakiej potrzebowała. Kiedy zostaliśmy sami, Maria ugryzła mnie w palec do krwi. Innym razem nadepnęła mi na stopę z taką siłą, że utykałem przez cały następny dzień.

Naszą miłość zakończyła siła wyższa. Kilka dni po naszym

powrocie z Florencji Maria zachorowała. Pochodziła z małej miejscowości na prowincji, a w Agrigento, gdzie chodziła do szkoły, mieszkała u ciotki. Przyjechali po nią rodzice. Z Palermo, z kliniki, w której się leczyła, wysłała mi parę kartek. „Pozdrowienia i ucałowania. Maria".

Nigdy więcej jej nie zobaczyłem.

Wiele, może zbyt wiele lat później, spotkałem naszą wspólną koleżankę z tamtych czasów. Zapytałem ją o Marię. Odpowiedziała, że czasami się widują, że ma się dobrze, wyszła za mąż i ma troje dzieci.

– Pozdrowię ją od ciebie – obiecała.

Marika

W moim miasteczku, kilka miesięcy przed przystąpieniem Włoch do wojny, czyli w roku 1940, podejmując próbę zwyciężenia konkurencji w postaci Caffè Castiglione, niedoścignionej z racji serwowanych w niej lodów, pan Ruoppolo, właściciel kawiarni swojego nazwiska, umiejscowionej również na głównej ulicy miasteczka, wpadł na iście rewolucyjny pomysł. Sprowadził z Triestu piękną i obdarzoną bujnymi kształtami dwudziestolatkę o rudych włosach i postawił ją za barem. Dziewczyna nosiła białą bluzkę ze szczodrym dekoltem i było więcej niż oczywiste, że pod spodem nie miała żadnego przyodziewku. Pomysł i – nazwijmy to – uniform spotkały się z entuzjastycznym przyjęciem. Krótko mówiąc, wszyscy młodzieńcy w miejscowości, ale i panowie w średnim wieku, żonaci i dzieciaci, wyemigrowali z Caffè Castiglione, idąc za żywym głosem włoskiego Triestu.

Niestety, kariera rudej podobna była do lotu spadającej gwiazdy. Po upływie zaledwie sześciu miesięcy zaręczyła się z podoficerem marynarki wojennej i zamieszkała z nim. Rozczarowani emigranci powrócili do ojczyzny. Pan Ruoppolo wytrwał na placu boju aż do świąt Bożego Narodzenia, jednak później, zważywszy na dramatyczny spadek sprzedaży, postanowił wezwać posiłki i sprowadził, również z Triestu, kolejną dziewczynę.

Miała na imię Marika, była bardzo jasną blondynką o równie jasnej karnacji, wysoką, miłą, nieco, ale tylko nieco mniej bujną w kształtach od swej poprzedniczki, za to obdarzoną krągłościami miękkimi i „rozśpiewanymi", jak je określił księgowy Principato. Lokal pana Ruoppolo znów zapełnił się nie tylko miejscowymi, ale i marynarzami i oficerami z okrętów wojennych stacjonujących w porcie.

Marika dostała po poprzedniczce mieszkanko na parterze, należące do pana Ruoppolo. Pracowała do północy. Po obsłużeniu ostatnich klientów i spuszczeniu rolety antywłamaniowej dziewczyna szła do pomieszczenia na zapleczu obok spiżarni, żeby się umyć, zdjąć bluzkę i włożyć własne ubranie, potem zamykała roletę na klucz i wracała do domu. Naturalnie podczas drogi powrotnej z ciemności wyłaniali się pretendenci. Jedni prosili ją, by spędziła z nimi resztę życia, inni – tylko jedną noc.

Jednak Marika, zawsze grzecznie i z pięknym uśmiechem, każdemu odpowiadała „nie".

Renzino, chłopak niespełna szesnastoletni, oszalał na jej punkcie. Nigdy nie znalazł w sobie dosyć odwagi, by poczynić do niej awanse, a nawet gdyby, dziewczyna roześmiałaby mu się prosto w twarz. Nigdy jeszcze nie był z kobietą, a pożądanie, które czuł do Mariki, było tak wielkie, że nie pozwalało mu spać.

Rano szedł do szkoły, popołudnie praktycznie w całości spędzał przyklejony do barowego kontuaru, popijając oranżadę i śledząc na każdy jej ruch. Od czasu do czasu spoglądała na niego i się uśmiechała. Doskonale rozumiała, co chłopakowi siedziało w głowie, ale od siebie nie mogła dać mu nic ponad ten uśmiech. Coś w rodzaju nagrody za wierność.

Jakiś czas później w miasteczku rozniosła się wiadomość, że Marika została kochanką doktora Sciacca, który wzbogacił się dzięki małżeństwu. Posag Ernestiny, jego żony, liczyło się w grubych tysiącach, ale ona sama była koszmarnie brzydka i nad wyraz zazdrosna. Przeto pan doktor, chcąc odwiedzić Marikę, musiał zachowywać należyte środki ostrożności i wymyślać niespodziewane porody oraz nieoczekiwane zawały serca, by spędzić parę nocnych godzin poza domem.

Znikli pretendenci wyłaniający się z mroku. Jedynie Renzino niewzruszenie trwał przy kontuarze. A Marika odwzajemniała się mu uśmiechem.

Aż wreszcie któregoś dnia w głowie Renzina zaświtał konkretny i niebywale śmiały plan. Jedynie niepohamowane pożądanie dziewczyny mogło mu podszepnąć coś tak szalonego.

Pewnego wieczoru udał, że idzie do toalety znajdującej się na zapleczu, ale zamiast tego wszedł do pomieszczenia gospodarczego. Poszedł przyjrzeć się okienku. Było dość szerokie, powinien się przez nie przecisnąć. Zobaczył ubrania Mariki, równo złożone na krześle obok wielkiej umywalki. Wrócił do kontuaru. Dziesięć minut przed zamknięciem pożegnał Marikę i udał, że znów idzie do toalety. Zamiast tego, przyświecając sobie kieszonkową latarką, wszedł do pomieszczenia gospodarczego, ukrył się za workami z kawą i zaczął wyczekiwać.

Plan polegał na tym, żeby podejrzeć Marikę, jak się rozbiera, myje i przebiera. Nawet tyle by mu wystarczyło, tak był jej spragniony. A kiedy Marika zamknie na klucz roletę, on wyjdzie z kawiarni przez okno wyglądające na wiecznie pusty zaułek.

Mniej więcej po kwadransie w pomieszczeniu zapaliło się światło i Marika weszła do środka.

Zdjęła bluzkę i nareszcie Renzino zobaczył, jak wygląda nago. Jej biała skóra, w miarę jak ją obmywała, nabierała coraz więcej blasku. Patrzył na nią od tyłu i ten widok był naprawdę wspaniały. Chwyciły go siódme poty, musiał mieć gorączkę. W pewnej chwili Marika odwróciła się, żeby zdjąć ręcznik wiszący na gwoździu. Ujrzawszy ją z przodu, Renzino doznał kompletnego oszołomienia. Brodawki jej piersi były niczym bieguny magnetyczne kosmicznego przyciągania.

Przestał myśleć. Na czworaka, tak jak się chował za workami, wydostał się z ukrycia i zaczął zbliżać się do niej, skomląc i jęcząc.

Przerażona Marika znieruchomiała z otwartymi ustami, ręcznik wypadł jej z rąk i zsunął się na podłogę.

Renzino, wciąż na czworakach, zbliżył się do niej, wyprostowawszy się nieco, wyciągnął szyję i pocałował ją w pępek.

Fala litości ogarnęła Marikę. Schyliła się, podniosła go za ramiona i przytuliła.

– Biedaczek – szepnęła.

Renzino nie wiedział nawet, że płacze. Uświadomił to sobie dopiero wtedy, kiedy otarła mu oczy rękami.

– Nie trzeba, biedaku.

Renzino drżał, nie mógł wymówić słowa. Dotknęła jego czoła i podjęła błyskawiczną decyzję.

– Teraz nie mogę, ale jutro tak. Przyjdź do mnie. Poczekaj.

Podeszła do krzesła, z torebki wyjęła klucz i podała mu.

– To jest zapasowy klucz do mojego mieszkania. Jutro, za pięć dwunasta, otwórz i wejdź, ale tak, żeby cię nikt nie widział. I czekaj na mnie. Tylko nie zapalaj światła.

Pomogła mu wyjść przez okienko. Sam i w takim stanie Renzino nie dałby rady.

Wszystko odbyło się zgodnie z planem.

Następnej nocy Marika z niezwykłą delikatnością pomogła mu przezwyciężyć szalone bicie serca, rozedrganie i brak doświadczenia.

Kolejnego popołudnia Renzino przyniósł jej do kawiarni wielki bukiet róż.

I choć nie prosił o kolejne spotkanie, wiedząc zresztą, że spotkałby się z odmową, jeszcze przez długi czas każdego popołudnia wpadał do kawiarni, żeby wypić oranżadę przy kontuarze, a ona od czasu do czasu uśmiechała się do niego.

Nefertiti

Nefertiti zmartwychwstała: taki tytuł nosiła powieść, którą czytałem w młodości i zapomniałem już, kto był jej autorem.
Pamiętam z grubsza zarys akcji. Opowiadała, jak mi się
zdaje, o egipskiej królowej, której imię oznacza „piękność, która nadeszła". Jako obdarzona nadnaturalnymi mocami córka
boga Słońca, wcielała się ona w postać współczesnej kobiety,
rozkochując w sobie na zabój wszystkich mężczyzn, których
napotkała. Doprowadziła do całego mnóstwa katastrof małżeń-
skich, aż w końcu sama padła ofiarą nieodwzajemnionej miłości
i wówczas, na mocy jakiegoś pozaziemskiego paktu, wróciła do
stanu zmumifikowanego. Sądziłem z początku, że powieść była

dziełem czystej fantazji, dopiero później dowiedziałem się, że przepiękna Nefertiti naprawdę istniała.

Wyznaję, że kiedy w kairskim muzeum zobaczyłem jej wyrzeźbioną podobiznę, poczułem, że brakuje mi powietrza, i stałem przed nią dobre dwie godziny, zahipnotyzowany i zafascynowany.

Albowiem to popiersie jest nie tylko wspaniałym przedstawieniem Nefertiti – jest doskonałym symbolem wiecznego i najwyższego kobiecego Piękna, niezmiennego przez wieki. Ten wizerunek zaskakuje swoją „nowoczesnością", przypomina nawet odrobinę twarz Grety Garbo.

Na temat kolei życia Nefertiti wiadomo tak niewiele, że badacze historii Egiptu wysuwają jedynie hipotezy i domysły. Niektórzy twierdzą, że w pewnym momencie popadła w niełaskę z powodu udziału w spisku przeciw faraonowi, inni natomist uważają, że dzieliła władzę z mężem, zainspirowała jego reformy religijne i administracyjne, a nawet że po jego śmierci sama zasiadła na tronie.

Jedno jest wszakże pewne: nie pochodziła z arystokracji rodowej, gdyż w takim wypadku znalazłyby się w papirusach ślady wskazujące na jej przodków. Bardzo prawdopodobne, że była córką wysokiego urzędnika dworskiego.

Faraon Echnaton zobaczył ją, zachwycił się i pojął za żonę.

Myślę jednak, że coś takiego łatwiej powiedzieć, niż wykonać.

Faraon był monarchą absolutnym, jego wola nie znała sprzeciwu ani ograniczeń, posiadał władzę nad życiem i śmiercią swych poddanych. Jednak nawet faraona wiązały bezwzględnie obowiązujące reguły i nie sądzę, by którakolwiek z nich dopuszczała małżeństwo między władcą a kobietą niepochodzącą z najszlachetniejszych rodów, pierwszą z brzegu przedstawicielką klasy średniej, jak byśmy to dziś powiedzieli.

Przecież jeszcze w latach trzydziestych poprzedniego stulecia król Anglii, by poślubić niepochodzącą ze szlachty Amerykankę, panią Simpson, musiał zrzec się korony.

Myślę, ale robię to tylko jako powieściopisarz, bez żadnego oparcia w źródłach historycznych, że Echnaton, by rozwiązać ten problem, uciekł się do inteligentnego podstępu: rozpuścił plotkę, że tak wielkie piękno jak uroda Nefertiti nie może mieć innego pochodzenia jak tylko pozaziemskie.

Stąd do nazwania jej córką boga Słońca, którą cudownie Ziemianom zesłały niebiosa, już niedaleka droga. Rozwiązuje to problem i daje nawet więcej: oczekiwane zaślubiny z boginią bez wątpienia wzmacniają potęgę przyszłego małżonka.

Po zaślubinach to do Nefertiti należeć będzie obowiązek sprawowania ceremonii ofiarnej dla Słońca, a nie do władcy, jak nakazywało prawo.

Jedno z malowideł ukazuje faraona, Nefertiti i ich córkę podczas rytuału na cześć Słońca, dawcy życia. Nefertiti trzyma wysoko w górze tacę, na której spoczywa statuetka przedstawiająca ją samą pogrążoną w modlitwie, co symbolizuje jej na wpół boską naturę.

I z pewnością Echnaton kochał ją tak, jak na to zasługiwała. Istnieje wiele przedstawień miłosnych zachowań tej pary (odpowiadają fotografiom dzisiejszych paparazzi), na jednym z nich władca czule całuje swą żonę na oczach wszystkich.

Faraon chciał też, by wizerunki czworga bóstw opiekuńczych umieszczane zwyczajowo w czterech rogach sarkofagu, w którym miała spocząć jego mumia, zastąpiono przedstawieniami samej tylko Nefertiti.

Istnieje jeszcze jedno przedstawienie „pani szczęścia o jaśniejącym obliczu, wielkiej w miłości", jak ją określa napis na pewnej steli, które jest przechowywane w Muzeum Egipskim w Berlinie.

W istocie jest to niedokończony projekt, wykonany przez rzeźbiarza Totmesa, i nie przedstawia on piękna Nefertiti w taki sam sposób jak popiersie z Kairu. Nie wynika to jednak z odmienności środków artystycznych zastosowanych przez dwóch różnych rzeźbiarzy.

Przyczynę odkryto po wykonaniu dwukrotnej tomografii dzieła, która ujawniła, że na twarzy Nefertiti wyrzeźbiono maleńkie zmarszczki, zwłaszcza w okolicy oczu.

A więc Nefertiti pozowała Totmesowi, kiedy nie była już pierwszej młodości, i chciała, by jej kobiecy wizerunek był realny, a nie wyidealizowany, by przedstawiał ją tak, jak naprawdę wówczas wyglądała.

Jeśli sprawy tak się mają, trzeba uznać, że Nefertiti była nie tylko wcieleniem najwyższego Piękna, ale i najwyższej Mądrości.

Może, gdyby się dobrze przyjrzeć, lekki uśmiech na ustach popiersia z Berlina jest mniej enigmatyczny, niżby się to mogło zdawać.

To uśmiech samoświadomości.

Tego, jak bardzo efemerycznym złudzeniem jest piękno, które rzeźbiarz pragnie zatrzymać i zachować na wieki.

Te drobne zmarszczki wokół oczu, których nie pozwoliła usunąć, bo były prawdziwe, są wspaniałą lekcją dla wszystkich kobiet, które boją się zestarzeć i szpecą się zastrzykami z botoksu.

Te małe zmarszczki pozwalają pokochać jeszcze bardziej tę Nefertiti, która potrafiła być „pięknością, która nadeszła", ale także, posłuszna nieubłaganym prawom natury, pięknością, która odeszła.

Ninetta

Jej imię nigdy nie pojawiło się w gazetach, o jej historii nie krzyczały prasowe nagłówki, mało czytelne są rysy jej twarzy na wyblakłej fotografii. Całkowicie anonimowa kobieta, która w roku 1925 była piękną siedemnastolatką.

Prawie nic nie wiem o jej życiu, dowiedziałem się tylko tego, co tutaj opowiem.

I co, moim zdaniem, warte jest opowiedzenia.

Mieszkała wraz z rodziną na wsi w sycylijskim interiorze. Jej rodzice mieli kawałek ziemi i jakoś wiązali koniec z końcem, utrzymując się z jej płodów. Ninetta im pomagała. Była jedynaczką.

Każdego dnia dziewczyna widziała, jak ścieżką obok ich pola przechodził dwudziestoletni wieśniak o imieniu Giacomo, prowadzący obładowaną mulicę. Chłopak szedł do wsi, by sprzedać tam owoce, warzywa i świeże jaja.

Ojciec Giacoma zmarł wiele lat wcześniej i obowiązek opieki nad gospodarstwem oraz chorą matką przeszedł na niego i na Giuseppe, jego o sześć lat starszego brata.

Giacomo przechodził więc tamtędy dwa razy dziennie, wcześnie rano i krótko po południu, gdy wracał. I za każdym razem, kiedy Ninetta była w polu, uporczywie się w nią wpatrywał.

Chłopak był uczciwy i pracowity, bardzo się Ninetcie podobał, ale zgodnie z zasadami zachowywała się jak gdyby nigdy nic i uprawiała ziemię, nie podnosząc głowy.

Potem, w jakiś świąteczny dzień, zdarzyło im się spotkać twarzą w twarz w bramie kościoła. Nie dało się nie popatrzeć na siebie.

Rozmawiali samymi oczami. Zrozumieli się. Wymienili uroczyste przyrzeczenie. To był długi, sekretny dialog, choć trwał tylko przez chwilę.

Odtąd, zawsze kiedy Giacomo przechodził ścieżką, Ninetta podnosiła głowę i odwzajemniała jego spojrzenie.

W owym czasie całą wieś trzymał w garści Anselmo, przywódca miejscowych faszystów, skory do pałki bojówkarz, człowiek despotyczny i gwałtowny, który nawet lokalnym władzom dyktował prawa.

Anselmo był właścicielem gospodarstwa sąsiadującego

z ziemią obu braci i nie brakowało okazji do niesprawiedliwości i nadużyć z jego strony. Pewnego razu, przesuwając nocą drut kolczasty zaznaczający granice posiadłości, dołączył do swojej ziemi cztery wspaniałe drzewa owocowe; kiedy indziej na targu zwierząt zażądał, by osioł, którego bracia właśnie nabyli, został zwrócony sprzedającemu, od którego sam go odkupił za znacznie niższą cenę...

W szczególny sposób zawziął się na Giuseppe, gdyż ten przez pewien czas był sekretarzem oddziału partii socjalistycznej. Z kolei Giacomo nigdy nie angażował się w politykę.

Aby nawodnić swoje ogrody, rolnicy korzystali z małego kanału, trzymając się przestrzeganych przez wszystkich reguł i rozkładu godzinowego. Tak było od niepamiętnych czasów. Jednak pewnego dnia woda nie popłynęła na pole braci.

Giuseppe poszedł zobaczyć, co się stało, i odkrył, że w górnym biegu strumienia Anselmo założył swego rodzaju zaporę, którą zamknął na klucz. Kto chciał skorzystać z wody, musiał go prosić – i płacić.

Było to jawne bezprawie, woda należała do dóbr publicznych, jednak wyłącznie Giuseppe udał się na skargę do podesty (tak nazywali się burmistrzowie w czasach faszyzmu). Podesta, który nominację na pierwszego obywatela gminy zawdzięczał koneksjom Anselma, poradził mu, żeby się nie wychylał i płacił.

Giuseppe jednak nie zamierzał ustępować. Pewnego ranka wraz z młodszym bratem udał się do Anselma, by go wezwać do opamiętania.

Dyskusja szybko przerodziła się w bójkę. Obecni przy tym

chłopi nie ośmielili się interweniować. W pewnym momencie Anselmo wyciągnął nóż sprężynowy i kilkakrotnie ugodził Giuseppe, zabijając go.

Próbujący pomóc bratu Giacomo został powstrzymany i brutalnie pobity przez dwóch parobków Anselma.

Podczas procesu adwokat mordercy przeinaczył wszystkie fakty. Twierdził, że Anselmo działał w obronie własnej, gdyż to Giuseppe pierwszy zaatakował go sierpakiem. Parobcy Anselma i obecni przy zajściu chłopi zgodnie potwierdzili wersję adwokata. Giacomo nie został nawet wysłuchany. Anselma wypuszczono na wolność.

Trzy dni później Giacomo wziął mulicę i ruszył do wsi, jednak bez zwykłego ładunku owoców i warzyw. Po drodze zrobił coś niezwyczajnego. Zsiadł z mulicy i podszedł do suchego murku otaczającego pole Ninetty.

Dziewczyna odłożyła motykę i podeszła do niego.

Tak samo jak wtedy w kościele, rozmawiali samymi oczami.

Potem Giacomo wskoczył na siodło, dojechał do placu we wsi, zsiadł, przywiązał mulicę do drzewa i powoli poszedł do stojących na świeżym powietrzu stolików głównego baru. Przy jednym z nich, zgodnie ze swym zwyczajem, siedział Anselmo z dwoma czy trzema towarzyszami. Giacomo wyciągnął rewolwer i wystrzelił w niego całą zawartość magazynka.

Podczas procesu prokurator żądał kary śmierci, utrzymując, że było to zabójstwo na tle politycznym. Przysięgli nie podzielili jego poglądu i skazali Giacoma na dożywocie.

Tego samego dnia, w którym zginął Anselmo, Ninetta otoczyła opieką matkę Giacoma, znalazła zaufanego człowieka, który zatroszczył się o gospodarstwo, i dwoiła się i troiła od świtu do zmierzchu, uprawiając oba pola. Wypruwała sobie żyły, żeby odłożyć część dochodu należącą do Giacoma. Nikt nigdy nie słyszał, żeby się żaliła.

Odrzucała po kolei wszystkich kawalerów. Robiła to nadal nawet wtedy, kiedy po śmierci własnych rodziców i matki Giacoma została sama.

Przyszła wojna, upadł faszyzm, mijały lata.

W roku 1959 Ninetta była już mocno starą panną, kiedy praktykujący w okolicy młody adwokat rozpoczął kampanię mającą na celu ułaskawienie Giacoma, siedzącego już trzydzieści pięć lat w więzieniu. Udało mu się. Dwa lata później, w 1961 roku, Giacomo wyszedł na wolność.

Przed bramą więzienia zobaczył czekającą na niego Ninettę.

Uśmiechnęli się do siebie.

W następnym roku Ninetta i Giacomo mogli się nareszcie pobrać.

To wszystko.

Nunzia

Dzierżawca mojego dziadka miał dwoje dzieci: chłopca imieniem Gerlando, przez wszystkich nazywanego Giugiù, i dziewczynę, Assuntę, przez wszystkich nazywaną Sunta.

Kiedy miałem jakieś dziesięć lat – były to czasy, gdy zaraz po zakończeniu roku szkolnego jeździłem do dziadków na wieś – Giugiù, nim wyruszył na wojnę etiopską jako marynarz na pokładzie torpedowca, ożenił się ze swoją daleką krewną, która miała na imię Nunzia.

Kiedy jej mąż wyjechał, Nunzia zamieszkała z teściami w domku, który dziadek dołączył do dzierżawy.

Kiedy ją zobaczyłem po raz pierwszy – przyszła przedstawić

się dziadkom – wydawało mi się, że jest Abisynką, tak ciemną miała skórę. Tymczasem to słońce tak ją spiekło, zrozumiałem to później, kiedy zaprzyjaźniłem się z nią i poznałem jej zwyczaje. Była dwudziestolatką o jędrnym ciele, włosach spiętych w kok, dosyć masywnych nogach i wydatnych wargach. Opinająca ją letnia sukienka wyglądała tak, jakby się miała za chwilę rozerwać.

Potrafiłem godzinami włóczyć się po polach w pełnym słońcu, ciągnąc za sobą małą kozę agrygencką, którą nazywałem Beba.

Pewnego dnia, kiedy słońce paliło szczególnie dokuczliwie, Beba dała mi do zrozumienia, że bardzo chce pić. Zaprowadziłem ją do poidła, za które służył wpuszczony w ziemię wielki okrągły zbiornik z betonu, gdzie zbierano wodę do podlewania warzywnika. Wokół zbiornika rosły gęste trzciny. Usłyszałem czyjś ciężki oddech i zatrzymałem się, rozsuwając nieco trzciny, żeby popatrzeć.

Na brzegu zbiornika leżała naga Nunzia, a nad nią rozciągnął się Saro, dozorca warzywnika. Nie rozumiałem, co jej robił.

Postanowiłem nie przeszkadzać i zrobiłem duże koło, zanim wróciłem do poidła. Saro zniknął, natomiast Nunzia weszła do wody, która sięgała jej do szyi. Zaprosiła mnie, bym się rozebrał i dołączył do niej, ale się wstydziłem. Nazajutrz, przechodząc obok gaju oliwnego, usłyszałem, że ktoś mnie woła. Rozejrzałem się, ale nie zobaczyłem nikogo. Potem usłyszałem śmiech podchodzący znad mojej głowy. Podniosłem oczy. Nunzia siedziała na gałęzi oliwki pamiętającej czasy Saracenów. Miała na sobie tylko jedną przepaskę na wysokości piersi i drugą między nogami.

– Wskakuj na górę.

Puściłem wolno Bebę, wspiąłem się. Kiedy usiadłem obok niej, zapytałem, dlaczego tam weszła.

– Bo tak.

Jadła małe jajka z gniazda nie wiem jakiego ptaka. Zapytałem, co jej robił Saro dzień wcześniej. Zaczęła się śmiać. Miała zęby jak drapieżne zwierzę.

– Robił mi piękną rzecz, taką, którą bardzo lubię. A kiedy mężczyźni chcą mi ją robić, pozwalam im na to. Ale nie wolno ci o tym nikomu mówić.

Nikomu nic nie powiedziałem i zostałem jej wspólnikiem.

Od zbiornika wodnego szedł tunel, który prowadził do źródła. Pewnego dnia, kiedy się tam kręciłem, przyszła z wieśniakiem, którego czasem widywałem przy pracy w majątku dziadków, i wraz z nim weszła do tunelu. Wcześniej jednak przykazała mi:

– Gdyby mnie szukali, nie mów, że mnie widziałeś.

Po półgodzinie wieśniak wyszedł i oddalił się, nawet na mnie nie spojrzawszy. Nunzia wyszła niedługo potem. Miała błyszczące oczy, zadowolony uśmiech i unoszącą się od oddechu pierś. Wydała mi się niezwykle piękna i powiedziałem jej to.

– Miło mi – odpowiedziała, siadając.

W pewnej chwili zobaczyłem, że robi coś niewiarygodnego. Znieruchomiała, wpatrzona w stronę trzcinowiska. Potem rzuciła się naprzód jak strzała i wylądowała na brzuchu. Kiedy wstała, trzymała w ręku długiego zielonego węża. Wiedziałem, że należy do nieszkodliwych. Owijał się wokół jej ramienia. Lewą ręką sięgnęła do kieszeni sukienki, wyciągnęła składany nóż, otworzyła go zębami i obcięła wężowi głowę. Potem usiadła obok mnie, pocięła gada na kawałki i podała mi jeden. Pokręciłem głową z obrzydzeniem. Wtedy wsadziła go do ust i przeżuwając wymruczała:

– Żebyś ty wiedział, jaki jest dobry.

Później już jej nie spotkałem. Pytałem o nią babcię, która odpowiedziała mi, że zachorowała. Obwiniałem za to węża, którego zjadła. Ale jednego ranka usłyszałem, jak dziadek mówił o Nunzii do swojego syna Massima, który był przez parę dni nieobecny w majątku.

Dzierżawca dowiedział się, że jego synowa często i chętnie spotykała się z Sarem, miał ją na oku i w końcu złapał ich na gorącym uczynku. Zażądał, by dziadek zwolnił Sara z pracy, a sam uwięził Nunzię w małym pokoju na parterze swego domku.

– To suka jest i jak sukę trza ją traktować – stwierdził dzierżawca.

Wiedziałem, gdzie jest ten pokoik. Pewnego dnia, kiedy nikogo nie było w domku dzierżawcy, postanowiłem odwiedzić Nunzię. Pokoik miał zakratowane okienko. Naskładałem kupę kamieni, stanąłem na nich, wspiąłem się na wysokość okna. Wewnętrzne okiennice były zamknięte, nie udało mi się zajrzeć do środka. Wtedy ją zawołałem. Odpowiedziała od razu.

– A, to tyś jest. Nie mogę ci otworzyć.

– A dlaczego?

– Bom przywiązana.

Włożywszy ręce między kraty, zdołałem popchnąć i otworzyć okiennice. Nunzia stała pośrodku pomieszczenia, ale nie mogła zrobić ani kroku dalej. Miała założoną obrożę na krótkim łańcuchu, którego koniec był przytwierdzony do ściany hufnalem do podkuwania koni.

Uśmiechnęła się do mnie. Nie wydawało mi się, żeby cierpiała. Ale nie wytrzymałem i uciekłem z płaczem. Potem zaczął się rok szkolny. Zbliżały się ferie Bożego Narodzenia. Znów pojechałem do dziadków. Bardzo chciałem dowiedzieć się czegoś o Nunzii i rankiem w Trzech Króli, kiedy dzierżawca z żoną i córką przyszedł w odwiedziny, pobiegłem w pole i zatrzymałem się dopiero pod oknem pokoju, w którym trzymano Nunzię. Zawołałem ją. Żadnej odpowiedzi. Wtedy zacząłem biec, wołając jej imię. W pewnej chwili usłyszałem, jak mi odpowiada:

– Tu jestem.

Była w winnicy, ziemia między krzewami była świeżo skopana. Właśnie kończyła wygrzebywać rękami wielką dziurę. Miała ogromny brzuch.

– Co ci się stało?

– Rodzę.

Odwróciłem się, żeby odejść. Zatrzymała mnie, chwytając za rękę. Skuliła się w dole. Ja wlepiłem wzrok w inną stronę. Serce podeszło mi do gardła. Wiedziałem, co się dzieje, widziałem, jak Bebie rodziły się małe kózki. Potem Nunzia zaczęła jęczeć i wydawać zduszone okrzyki. Ściskała mnie mocno za rękę, wykręcała mi ją aż do bólu.

Ale byłem dumny, miałem poczucie, że staję się mężczyzną.

Potem usłyszałem płacz małego stworzenia.

Dopiero wtedy odwróciłem się, żeby popatrzeć.

– Chłopak – powiedziała Nunzia. – I dam mu twoje imię.

Ofelia

Nigdy nie poznałem jej prawdziwego imienia, ale coś wewnątrz mnie natychmiast kazało mi ją tak nazwać, kiedy tylko pojawiła się przede mną o brzasku pewnego lipcowego poranka 1943 roku.

Już od trzech dni próbowałem przedostać się z bazy marynarki w sycylijskiej Auguście do Serradifalco, miejscowości w interiorze, gdzie część mojej rodziny schroniła się przed alianckimi bombardowaniami, które dniem i nocą młóciły południowe wybrzeże mojego kraju.

Zmobilizowano mnie na początku lipca. Mundurów nie było, zostałem w moim cywilnym ubraniu, krótkich spodniach, koszuli i sandałach, dali mi tylko wstążkę z napisem CREM, oznaczającym Corpo Reale Equipaggi Marittimi – Królewski Korpus Załóg Morskich. Jednak dane mi było zostać tylko *marinero en tierra**, brakowało okrętów, na które mógłbym się zamustrować. W ten sposób, razem z innymi, tak samo jak ja udawanymi marynarzami, zostałem wyznaczony do odgruzowywania i wyciągania trupów. Jako wyposażenie dostałem łopatę i manierkę z wodą, która już po paru godzinach pracy była pusta.

Spaliśmy na piętrowych łóżkach w czymś w rodzaju schronu. Wieczorem, otępiali ze zmęczenia, zwaliliśmy się na posłania, nie zdejmując nawet butów, i zapadaliśmy w zwierzęcy sen.

10 lipca o czwartej nad ranem obudził mnie kolega i powiedział, że alianci schodzą na ląd na odcinku między Gelą a Licatą. Natychmiast otrzeźwiałem. Wstałem, zapakowałem do tobołka te parę rzeczy na zmianę, które miałem ze sobą, zabrałem manierkę, wyszedłem ze schronu, ściągnąłem wstążkę, wyrzuciłem ją do kosza i poprosiłem o podwiezienie kierowcę wojskowej ciężarówki jadącej do Mesyny. Tymczasem Augusta wrzała pod zmasowanym bombardowaniem z okrętów i samolotów.

W ten sposób zaczęła się moja droga przez piekło. Kilka kilometrów za Katanią ciężarówka stanęła, trafiona odłamkiem w silnik. Dalej przemieszczałem się w przyczepie motocykla,

---

* Hiszp. Marynarz na lądzie, aluzja do debiutanckiego tomu wierszy hiszpańskiego poety Rafaela Albertiego (1902–1999) pod tym samym tytułem, opublikowanego w 1925 roku.

pieszo, w samochodzie, bez przerwy słysząc w tle samoloty strzelające do wszystkiego, co się ruszało.

Kiedy w końcu dotarłem – do dziś nie wiem, jak mi się to udało – do pierwszych domostw w Palermo, zapadł już wieczór. Na środku niewielkiego placu przy koszarach, które zdawały się opustoszałe, choć obecność uzbrojonego wartownika w budce wskazywała na coś przeciwnego, zobaczyłem wojskową ciężarówkę.

W szoferce, na miejscu kierowcy, siedział żołnierz w stopniu kaprala.

Podszedłem, zapytałem, czy przypadkiem nie wyjeżdża i czy może podwieźć mnie w głąb wyspy. Okazał się przyjazny, miał jakieś czterdzieści lat i pochodził z Bolonii. Odpowiedział, że nazajutrz z samego rana ma zawieźć do San Cataldo pluton żołnierzy. Poczułem, że biją mi w piersi świąteczne dzwony. Z San Cataldo do Serradifalco było tylko parę kilometrów, mogłem je przejść na piechotę. Potem oznajmił, że właśnie idzie przenocować do znajomych i jeśli chcę, mogę się przespać w szoferce. Nie da się powiedzieć, by w tych dniach panował porządek i dyscyplina. Wielu Sycylijczyków, takich jak ja, dezerterowało.

Tego samego dnia rano dostałem od jakiegoś chłopa garść bobu i parę strąków chleba świętojańskiego. Podzieliłem to na racje i teraz, po zjedzeniu wieczornej porcji i popiciu łykiem wody, zacząłem się szykować do snu. Brama koszar była zamknięta, wartownik zniknął. Jedyną osobą, którą widziałem na placu, był przechodzący kulawy starzec. Kiedy tylko wspiąłem się na górę, szoferka wydała mi się gościnna i przytulna, no i cała dla mnie, niczym pokój w luksusowym hotelu. Było w niej tylko bardzo gorąco, mimo opuszczonych szyb.

Obudziło mnie bombardowanie. Przeraziłem się. Na wschodzie widać było fioletowe światło brzasku. Samoloty musiały latać bardzo nisko, bo mimo ogłuszającego stukotu artylerii przeciwlotniczej słyszałem dźwięk ich silników. Bomby spadały bardzo blisko, wybuch dwóch albo trzech gwałtownie potrząsnął ciężarówką. Widziałem błyski i płomienie w oknach domów okalających placyk. Nie byłem w stanie się ruszyć, ale nawet gdybym mógł, dokąd miałem uciec?

Później podniosło się coś podobnego do zakrywającej wszystko białej mgły, zdawało się, że szyby w szoferce zaparowały, i przestałem cokolwiek widzieć. Chwilę później wszystko się skończyło. Słyszałem syreny ambulansów, klaksony samochodów. Żadnego ludzkiego głosu. Brama koszar wciąż była zamknięta.

Niespodziewanie zerwała się poranna bryza i rozproszyła nieco biały tuman.

To właśnie wtedy zobaczyłem, jak z ulicy po lewej stronie do mojej ciężarówki zbliża się coś, sylwetka, której nie potrafiłem dać nazwy, kawałek tkaniny bielszej niż otaczające ją opary, prześcieradło poruszane wiatrem albo postać ludzka w długiej koszuli. Wychyliłem się przez okienko, żeby dobrze się przyjrzeć, wytężając, jak tylko mogłem, moje oczy krótkowidza. Nienazwany kształt był coraz bliżej i w pewnym momencie, jakby uwalniając się od ostatniego strzępka mgły, jaki go jeszcze więził, wyłonił się w całej okazałości. Po plecach przeszedł mnie dreszcz. Była to bardzo młoda dziewczyna, bosa, w nocnej koszuli, ze spuszczoną głową, wpatrująca się w zawiniątko, które trzymała w ramionach. Z pewnością noworodek. Gdy tylko znalazła się na placu, nadjechał z dużą prędkością jakiś samochód, dosłownie otarł się o nią i pognał dalej. Zdałem sobie natychmiast sprawę, że dziewczyna niczego nie zauważyła, nie wykonała żadnego gestu, nic. Może była niewidoma? Ale nawet ślepiec, czując, jak ociera się o niego śmierć, jakoś by zareagował...

Wyskoczyłem z szoferki i popędziłem do niej. Kiedy stanąłem przed nią i już otwierałem usta, by przemówić, uświadomiłem sobie dwie rzeczy. Pierwszą, że mnie nie widzi, choć nie jest ślepa. Drugą, że cichutko śpiewa kołysankę dla szmacianej lalki, którą trzyma z czułością w ramionach.

Trallalalili...
Trallalali...
Małą owieczkę
Wilcy porwali...

– Jak masz na imię?
Chyba nawet nie usłyszała pytania. Stała nieruchomo, bo wyczuwała przeszkodę w postaci mojego ciała. Gdyby mnie wyminęła, poszłaby dalej jak automat. Cofnąłem się więc o dwa kroki, a ona postąpiła naprzód. W ten sposób udało mi się doprowadzić ją aż do ciężarówki, a potem, trzymając ją za ramiona, pomogłem wsiąść do szoferki. Odkorkowałem manierkę i po-

dałem jej. Nie poruszyła się. Wtedy przyłożyłem brzeg manierki do jej warg. Upiła kilka łyków.

– Lepiej się czujesz?

Nie odpowiedziała. Przycisnęła lalkę do piersi i znów zaczęła śpiewać kołysankę. Nie wiedziałem, co robić. Dziewczyna była piękna, miała co najwyżej siedemnaście lat i patrząc na nią, czułem się skrępowany, bo poza nocną koszulą nic na sobie nie miała. Bałem się, co będzie, kiedy pojawi się boloński kierowca, a z drugiej strony pragnąłem, by już przyszedł. Dziewczyna, wydawało mi się to oczywiste, musiała być w szoku po zbombardowaniu domu, w którym mieszkała. Może, pomyślałem, jakieś gwałtowne zachowanie pomoże jej wrócić do normalności. Błyskawicznym gestem wyrwałem jej lalkę z rąk i rzuciłem na podłogę. Nie miała nawet czasu, by stawić opór, zaniosła się tylko dziecinnym płaczem, rozpaczliwym, bezradnym, rozdzierającym. Wielkie łzy popłynęły jej po policzkach, szloch wstrząsał ramionami, pociągała nosem, puste ręce opadły bezwładnie na podołek. Nie schyliła się po lalkę, być może jej nie widziała. Poczułem, jak ogarnia mnie bezbrzeżna litość.

– Nie płacz, oddam ci twoją lalkę – jęknąłem.

Schyliłem się, żeby ją podnieść z podłogi. Jednak kiedy tylko moja głowa znalazła się na wysokości jej piersi, błyskawicznie chwyciła ją obiema rękami, przycisnęła do siebie i zaczęła tulić, szepcząc kołysankę.

Zamknąłem oczy i poddałem się temu. Tę samą kołysankę tyle razy śpiewała mi matka przed snem... Przez te parę minut Ofelia dokonała cudu. Żadnej wojny, żadnej śmierci i zniszczenia, wielka cisza, wielki spokój, w którym powoli rozpływał się lęk i wyczerpanie, przerażenie i udręka. Uświadomiłem sobie, że z moich oczu płyną uwalniające łzy.

– Co tu się dzieje? – zapytał bolończyk.

Nim odpowiedziałem, zabrałem z podłogi lalkę, umieściłem ją z powrotem w ramionach dziewczyny. Potem wyszedłem z szoferki i opowiedziałem wszystko.

Bolończyk nie zastanawiał się ani chwili.

– Niedaleko stąd jest klasztor. Idziemy, szybko!

Ale Ofelia nie chciała wyjść z szoferki. Na moje nalegania w pewnym momencie powiedziała zdecydowanie:

– Ty.

I wyciągnęła rękę. Chwyciłem ją, ona ścisnęła mocno i tak wyprowadziłem ją z szoferki. Wyruszyliśmy. Jedną rękę chowała w mojej, drugą trzymała lalkę. Bolończyk zadzwonił do bramy konwentu. Siostry otworzyły. Wyjaśniłem starszej z nich, co się stało.

– Zajmiemy się nią.

Ale Ofelia nie chciała puścić mojej ręki. Przekonała ją dopiero siostra, szepcząc jej coś do ucha. Patrzyłem za nią, jak szła długim korytarzem prowadzona przez starą zakonnicę. Zanim znikła za zakrętem, zatrzymała się, odwróciła, spojrzała na mnie. Miałem wrażenie, że się uśmiecha.

Kiedy wróciliśmy na plac, pluton już tam był, gotowy do wyjazdu.

Oriana

Nie wiem, jak się naprawdę nazywała. Oriana to pseudonim, jaki wybrała do wykonywania swej profesji w domach uciech.

Na terenie całej Italii zwyczajem było, że co piętnaście dni dziewczęta przenoszono z jednego przybytku do drugiego. Na tym polegała tak zwana *quindicina* – „piętnastka", pozwalająca stałym klientom skorzystać dwa razy w miesiącu z nowego, odmiennego ciała.

W drugiej połowie czerwca 1943 roku Oriana, wraz z pięcioma koleżankami, przyjechała do pensjonatu „Ewa", domu publicznego znajdującego się w moim miasteczku.

„Pani", czyli burdelmama, zanim jeszcze nowe dziewczęta

przedstawiły się publiczności, zapowiedziała licznym klientom zgromadzonym w salonie – natłok gości był charakterystyczny dla pierwszego dnia nowej „piętnastki" – że ci, którzy zamierzają pójść z dziewczyną o imieniu Oriana, muszą przestrzegać pewnych reguł.

Reguły owe polegały na tym, że Oriana załatwiała sprawę szybko, kwadrans lub, jeśli klient jej odpowiadał, pół godziny, ale nigdy dłużej; ponadto nie ma sensu prosić jej o szczególne usługi, ponieważ żądanie zostanie odrzucone.

„Pani" uściśliła, że reguły te, które w przełożeniu na konkret oznaczały szczuplejsze dochody dla przybytku, zostały jej narzucone przez władzę. Jaką władzę, nie sprecyzowała.

Naturalnie rozległy się szemrania sprzeciwu, kiedy jednak nowe dziewczyny weszły do salonu, na widok Oriany zapadło absolutne milczenie. Podczas gdy inne nosiły zwyczajowe, wydekoltowane podomki, przez które z łatwością można było dojrzeć nagie ciało, Oriana była ubrana w spódnicę i bluzkę i poruszała się bez uśmiechu, sprawiając wrażenie, jakby była zupełnie oderwana, jak ktoś obcy, kto trafił tu przez przypadek. Miała około trzydziestu lat, była wysoka, piękna i zadbana, długie włosy o miedzianym odcieniu spływały jej na plecy.

Zamiast zakręcić się przy klientach i żartować z nimi, jak było w zwyczaju, usiadła sztywno na kanapie i zaczęła rozglądać się wokół z obojętnym i z pewnością niezachęcającym wyrazem twarzy.

Totò Farruggia, dziewiętnastoletni uczeń liceum i wielokrotny repetent, został jej pierwszym klientem. Swojemu koledze wyjaśnił, że dziewczyna bardzo przypominała mu jego nauczycielkę matematyki, która go zostawiła na drugi rok w tej samej klasie. Będzie miał poczucie, że w ten sposób się jej zrewanżuje.

Kiedy zszedł na dół, wielu pytało go:

– I jaka jest?

– Coś wspaniałego.

Tego wieczoru Oriana nie miała ani chwili wytchnienia. Jednak kolejnego dnia wydarzyło się coś nieprzewidzianego. Sześciu faszystowskich hierarchów pod przywództwem zastępcy sekretarza federalnego partii w Agrigento, niejakiego Pasquinotta, weszło do lokalu, kazało się wynosić wszystkim klientom i zajęło ich miejsca. Zobowiązali się wobec „Pani", że zatrudnią dziewczyny aż do godziny zamknięcia przybytku, a jeśli nie, to i tak zapłacą za wszystkie równowartość inkasa w normalny wieczór.

Pasquinotto wybrał Orianę, proponując jej spędzenie ze sobą wszystkich czterech godzin, które miał do dyspozycji.

Ostentacyjnie odmówiła. Co najwyżej, biorąc pod uwagę, że ma do czynienia z wicefederalnym, mogła się zgodzić na pół godziny.

Pasquinotto wpadł w furię i poszedł protestować do „Pani", która wzięła Orianę na stronę i tak długo przekonywała dziewczynę, że ta, na ten jeden jedyny raz, zgodziła się odstąpić od zasad.

Niecałą godzinę później Oriana wyskoczyła z krzykiem ze swojego pokoju i zbiegła na parter po „Panią". Ta weszła do pokoju dziewczyny i także zaczęła krzyczeć. Pięciu nagich funkcjonariuszy partyjnych zaprzestało swych działań i pobiegło zobaczyć, co się dzieje.

Pasquinotto leżał w poprzek łóżka z wykrzywioną twarzą, językiem na wierzchu i wybałuszonymi oczami. Nagły zgon.

– Zawał serca – orzekł, zawezwany w wielkiej tajemnicy, doktor Sciacchitano.

Funkcjonariusze na chybcika ubrali zwłoki, zawlekli do samochodu, kazali dziewczynom obiecać, że żadna nie piśnie słowa, i wrócili do Agrigento.

Ale i tak wydarzenie stało się powszechnie wiadome.

Natychmiast zaczęła krążyć legenda, jakoby sztuka miłosna Oriany była możliwa do zniesienia przez normalnego człowieka jedynie przez ograniczony czas, właśnie od kwadransa do pół godziny. Później ryzykowało się życie.

– Ona ma w sobie coś podobnego do pięści Carnery* – wyjaśniał profesor Santino – Jeden albo dwa ciosy wytrzymasz, ale pięć cię zabije.

Trzy dni później stawił się w domu uciech porucznik, as lotnictwa, odznaczony srebrnym medalem za zasługi wojenne, który wiele razy patrzył śmierci prosto w oczy. Chciał jej popatrzeć i teraz, spędzając godzinę z Orianą. Która to dała się prosić długo, ale w końcu ustąpiła.

Porucznik wszedł na górę, jedną ręką obejmując kibić dziewczyny, drugą podnosząc do góry w odpowiedzi na pozdrowienia i zachęty ze strony pozostałych klientów.

---

* Primo Carnera (1906–1967), pięściarz włoski słynący z ogromnej siły fizycznej.

Godzinę i pięć minut później uśmiechnięty i nienaruszony zszedł na dół wśród aplauzu zgromadzonych.

W ten sposób hipoteza profesora Santina została spektakularnie obalona.

To oczywiste, że wicefederalny Pasquinotto umarł, ponieważ był cieniasem jak wszyscy faszyści, rzucił ktoś, a nie z powodu siły tej, jak ją tam zwać, pięści Oriany.

Wieści o tej nowej hipotezie dobiegły również do uszu sekretarza federalnego. Trzy dni później wysłał do burdelu podwładnego z rozkazem, aby w ciągu pół godziny przybytek został opróżniony z klientów. Potem pojawił się osobiście, w mundurze, wykonał przed „Panią" salut rzymski i z dumą powiedział:

– Przyszedłem ratować honor faszystów.

Wraz z nim stawili się trzej najwierniejsi spośród Czarnych Koszul. Jednak federalny był skłonny podjąć ryzyko tylko do pewnego stopnia. Zażądał jedynie pół godziny z Orianą, a ta, odpowiednio poinstruowana przez „Panią", nie robiła żadnych historii.

Trzydzieści pięć minut później federalny wyszedł z pokoju Oriany z triumfalnym uśmiechem i pokazał się na półpiętrze swoim podwładnym, którzy zerwali się na baczność.

– Misja wykonana. Towarzysze, salut na cześć Duce!

– Za Duce! I za nas!

Federalny zszedł na pierwszy z dziesięciu stopni prowadzących do salonu, potem się zachwiał, chwycił ręką za serce, zmiękły mu kolana i poleciał w dół po schodach, padając bez ruchu przy ostatnim stopniu.

Doktorowi Sciacchitano udało się go reanimować, ale nakazał, by natychmiast przetransportowano go do szpitala.

Kiedy sprawa się rozniosła, miejscowi faszyści definitywnie stracili twarz.

Wówczas sześćdziesięcioletni profesor Santino po raz pierwszy w życiu przestąpił próg burdelu i poprosił Orianę o kwadrans.

Udało mu się ją przekonać, jednak nic nie skonsumował, ograniczył się tylko do przepytania dziewczyny.

W ten sposób dowiedział się, że Oriana pochodziła z Bolonii i odkąd skończyła osiemnaście lat, pracowała jako robotnica. Później nieodrodna córka swojego ojca, kolejarza, dwadzieścia lat wcześniej zwolnionego z pracy za przynależność do socjalistów, a następnie aresztowanego pod zarzutem spiskowania przeciwko partii faszystowskiej, i ona dostała wymówienie.

Praca Oriany stanowiła jedyne źródło dochodu rodziny, ponieważ matka, nauczycielka szkoły podstawowej, straciła posadę, gdy odmówiła przyjęcia faszystowskiej legitymacji partyjnej.

Oriana, by utrzymać samą siebie i rodziców, czuła się zmuszona wybrać ten rodzaj zarobku. Jednak i tu zainterweniowała policja polityczna: bali się, że pracując w tym fachu, Oriana mogłaby z łatwością krzewić idee socjalizmu. Dlatego żadnych długich rozmów z klientami, co najwyżej kwadrans i koniec.

— To śmiertelna nienawiść, jaką żywi wobec faszystów, skupia się w niej i ich unicestwia — wyjaśnił zebranym profesor — dlatego też nie miała żadnego złego wpływu na porucznika lotnictwa.

Od tego dnia faszyści obchodzili przybytek z daleka. Wejście w jego progi oznaczało tyle co ogłoszenie się antyfaszystą. Na zakończenie „piętnastki" dziewczyn nie można było wymienić. Nie dało się podróżować pod nieustannym bombardowaniem i ostrzałem aliantów. Burdel zamknięto. Dziewczęta rozeszły się.

Orianę, w uznaniu dla jej zasług, zatrudnił jako pokojówkę w swoim domu adwokat Guarnaccia, stary socjalistyczny deputowany, który również zapłacił więzieniem za swoje ideały.

Kiedy trzy tygodnie później Amerykanie przybyli do miasteczka, wśród członków komitetu antyfaszystowskiego, który ich przyjmował, stała także zapłakana Oriana, trzymająca w ręku czerwony sztandar.

Pucci

Naprawdę miała na imię Eriberta i nie starczyłoby całej kartki, żeby zapisać jej pełne nazwisko z wszystkimi tytułami i przyległościami. Markiza miejsc czarownych, hrabina zakątków radosnych, baronowa miejscowości zaginionych, tak była szlachetnie urodzona, że już bardziej szlachetnie urodzoną być się nie dało. Łaskawe lędźwie, z których się wywodziła, nie potrzebowały zresztą biletu wizytowego: o tym, że w jej żyłach płynęła stuprocentowo błękitna krew, świadczyło w sposób więcej niż oczywisty każde jej najdrobniejsze zachowanie. Nie, żeby była wyniosła, wręcz przeciwnie, jednak naturalna gracja, wrodzona elegancja ruchów, sposób zwracania się do innych czy uczestnictwa w choćby całkiem prostych rozmowach, wszystko to podkreślało, nawet wbrew jej woli, pewną odmienność, granicę jednocześnie widoczną i niewidoczną. Poznał mnie z nią w Mediolanie znajomy reżyser. Albowiem Pucci przebywała w środowisku swego urodzenia i wychowania tylko przez konieczne minimum, przy okazji narodzin, ślubów i śmierci; resztę czasu spędzała z „artystami", które to słowo tak wypowiadała, że nawet cudzysłów było słychać.

Szybko uświadomiłem sobie dwie rzeczy. Pierwsza, że termin „artysta" oznaczał dla niej bardzo szerokie spektrum, obejmujące malarzy i linoskoczków, muzyków i *madonnari**, aktorów i restauracyjnych grajków z gitarą czy mandoliną. Nie widziała różnicy. Klaun z trzeciorzędnego cyrku i Pablo Picasso stali na tym samym poziomie. Okazywała ten sam gwałtowny entuzjazm przed *Mona Lizą*, co na widok bohomazów jakiegoś niedzielnego malarza. Druga rzecz charakterystyczna była taka, że choć uczęszczała do ekskluzywnych szkół w Szwajcarii i Anglii, pozostawała w gruncie rzeczy osobą o zdumiewającej ignorancji.

Potrafiła umieścić Somalię w Ameryce Południowej, pomylić Garibaldiego z Mussolinim, wierzyć, że Marconi wymyślił lodówkę albo że Amerykę odkrył Cavour.

Jednak wypowiadała te dyrdymały z taką nonszalancją,

---

* Wędrowni twórcy posługujący się najczęściej kolorową kredą i pozostawiający swoje malunki o tematyce zwykle religijnej, zwłaszcza wizerunki Madonny (stąd nazwa) na murach i asfalcie ulic, przy okazji świąt religijnych.

z tak uwodzicielską lekkością, że nikt nie ośmielał się jej za-przeczyć.

Podczas seansu kinowego jej towarzysz musiał ze świętą cierpliwością objaśniać cały film. Nie rozumiała montażu, prze-nikanie się obrazów całkowicie ją dezorientowało.

Wcale jednak nie była głupia. Czasem zaskakiwała nas wszystkich jakimś zręcznym i wnikliwym spostrzeżeniem.

W jej obecności, także w trakcie bardziej gorących dyskusji, staraliśmy się nie przekraczać granic ani nie używać niepar-lamentarnego słownictwa. Nie, żeby nas o to wprost prosiła; przychodziło nam to spontanicznie, być może uznawaliśmy, że to akt należnego jej szacunku.

Z reguły nosiła suknie tak uszyte, by zakrywały jej kształty. Była wysoka, miała twarz może odrobinę końską, lecz niesły-chanie pociągającą, czarne włosy splatała z tyłu w warkocz. I te wspaniałe oczy: czarne, głębokie, czasem roztargnione, czasem niezwykle uważne.

Na dwa albo trzy dni w miesiącu znikała bez zapowiedzi. Później wyjaśniła nam, że przyjeżdża do niej z Austrii narze-czony, hiszpański arystokrata, którego nazwisko, powiedziała, jest tak samo długie jak jej. Zdradziła, że na imię mu Roderigo, i nic więcej.

Nigdy się nie denerwowała, nie traciła spokoju, na wszystko patrzyła trzeźwo. Flem, mój kolega reżyser, opowiadał mi, jak pewnego dnia był z nią w teatrze, kiedy na widowni pojawił się ogień, mały zalążek pożaru, w sumie głupstwo. Ale wśród pub-liczności natychmiast wybuchła panika, wszyscy nagle zaczęli się cisnąć do wyjścia. Także mój kolega miał ochotę uciekać, ale Pucci, lodowato zimna i zdegustowana na widok zachowania przerażonych ludzi, zatrzymała go, nakazując:

– Powiedz tym ludziom, żeby najpierw przepuścili kobiety i dzieci.

Kolega złożył ręce wokół ust i krzyknął, czując się bezbrzeżnie śmieszny:

– Najpierw kobiety i dzieci!

Pucci wyszła przedostatnia, bezskutecznie próbując przekonać kolegę, by wyszedł przed nią.

Pewnego wieczoru Flem zaprosił mnie na kolację z okazji swoich urodzin. Kiedy lekko spóźniony dotarłem na miejsce, przy stole oprócz mojego kolegi zastałem Pucci i prześliczną dziewczynę, Alessię, która była modelką i od czasu do czasu pojawiała się w towarzystwie Flema. Pucci i Alessia widziały się po raz pierwszy, ale wyglądało na to, że się polubiły.

Kiedy zdarzało mi się być z Pucci na obiedzie lub kolacji, zawsze wprawiał mnie w zachwyt jej sposób jedzenia. Używała sztućców z tą samą elegancją i precyzją, z jaką wielki chirurg operuje skalpelem. Przeżuwała z niemal niedostrzegalnym ruchem szczęki. Nigdy nie zostawiała niczego na talerzu, gdyż uprzednio zamówiona i precyzyjnie wytłumaczona kelnerowi objętość porcji odpowiadała dokładnie temu, co czuła, że może zjeść.

Po kolacji Flem zabrał nas do siebie na coś mocniejszego. Odkorkował szampana, napełnił nam kieliszki. Pucci była abstynentką, ale upiła łyczek, żeby zrobić Flemowi przyjemność.

Wypiliśmy we trójkę całą butelkę i przeszliśmy do whisky. Aby dotrzymać nam towarzystwa, Pucci wypiła kropelkę. Później, podczas gdy nas rozpierała euforia, Pucci zdawała się usypiać na fotelu. Po jakiejś chwili, stwierdzając, że jest jej bardzo gorąco, Alessia zdjęła bluzkę. Pod spodem była naga. Zatkało mnie.

– Ależ one są bajeczne! – wykrzyknąłem. – Masz piersi godne hymnu!

Prawdziwy skowyt zjeżył nam włosy na głowie. Wydobywał się z okolic fotela, na którym, jak sądziliśmy, spała Pucci. Ona tymczasem stała nad nami, zupełnie rozbudzona, a jej oczy miotały błyskawice.

– Słuchaj no, pieprzony dupku – krzyknęła do mnie – zanim zaczniesz gadać, co ci ślina na język przyniesie, popatrz na nie, skurwysynu!

W mgnieniu oka ściągnęła przez głowę połowę górnego worka, który jej sięgał do pasa, rozpięła biustonosz, chwyciła cycki w ręce, zbliżyła się i podstawiła mi je przed nosem. Potem skupiła swą uwagę na Alessii.

– Ściągaj spódnicę, kurwo – nakazała, zbliżając się do niej groźnie z chwyconą za szyjkę i uniesioną wysoko butelką po szampanie.

Przerażona dziewczyna wykonała polecenie.

– Odwróć się, krowo przerżnięta.

Obrzuciła pogardliwym wzrokiem siedzenie Alessii i zwróciwszy się do nas, rzuciła wyzwanie, ściągając spódnicę:

– Chcemy pomówić o dupie?

Udało się nam ją uspokoić, przekonując, że jej ciało nie ma

sobie równych. Przejazd samochodem do jej pałacu był nie-
ustanną walką.

Chciała pytać o zdanie na temat swego biustu dozorców,
zamiataczy ulic i nocnych marków, używając przy tym takiego
języka, że nawet marynarz oblałby się rumieńcem.

Nazajutrz była taką Pucci jak zawsze. Nienaganną.

Może, choć tylko przez krótką chwilę, tamtego wieczoru
odkryła przed nami drugie oblicze arystokracji.

Quilit

Wyreżyserowany przeze mnie spektakl o Majakowskim pojechał do Rio de Janeiro na zaproszenie tamtejszego uniwersytetu. To dlatego, gdy stanąłem na scenie wielkiego teatru, który nas gościł, aby opowiedzieć o naszej pracy, zobaczyłem, że szczelnie wypełniona widownia składa się w przeważającej mierze z ludzi młodych. Spektakl, trwający półtorej godziny bez przerwy, utrzymany był w szalonym, transowym rytmie.

Na zakończenie wybuchła owacja. A zaraz potem cała rzesza młodych ludzi z parteru wskoczyła na scenę, by uściskać aktorów, swoich rówieśników. Entuzjastyczny chaos, coś nie do opisania. Zszedłem na parter, by cieszyć się scenami wzajemnej serdeczności, nigdy wcześniej niewidzianymi w teatrze.

Po trwającej jakieś dziesięć minut sarabandzie aktorzy, których było nieco ponad dwudziestu, wraz z widzami zeszli ze sceny półobjęci. Ja, całkowicie wyczerpany, siedziałem na widowni: kiedy spadło napięcie, ogarnęło mnie zmęczenie. Zgasły światła na scenie, paliły się tylko lampki kontrolne na parterze. Wstałem, by udać się do wyjścia, i zobaczyłem w półmroku, że w ostatnim rzędzie parteru siedzi ktoś jeszcze. Podszedłem. Była to mniej więcej dwudziestoletnia dziewczyna o ślicznej twarzy, naprawdę piękna. Wstała i ona. Niewysoka brunetka, miała na sobie T-shirt i dżinsy i była bardzo proporcjonalnie zbudowana.

– Jesteś naprawdę znakomity – powiedziała dobrą włoszczyzną, choć z wyraźnym brazylijskim akcentem.

– Miło mi. Czekasz na kogoś?

– Nie, czekam, aż mi przejdą emocje. Czujesz?

Chwyciła moją dłoń i położyła ją na sercu. Poczułem wystarczająco dużo, również dlatego, że dziewczyna zdawała się nie wiedzieć, gdzie dokładnie znajduje się serce, i zmusiła moją dłoń, by spoczęła w nader przyjemnych okolicach.

– Mam na imię Quilit.

Po dwóch dniach spędzonych w Brazylii przyzwyczaiłem się już do najbardziej dziwacznych imion.

– Chcesz pójść z nami na kolację? – zapytałem.

– Nie mogę, jestem umówiona z chłopakiem. A może ty pójdziesz ze mną?

Przyjąłem zaproszenie. Poinformowałem dyrektora teatru, że nie będzie mnie na kolacji z aktorami, i wyszedłem z Quilit. Złapaliśmy taksówkę i dziewczyna podała adres w Copacabanie. Lokal, do którego mnie zaprowadziła, był czymś w rodzaju ogromnego baru, gdzie można było także coś zjeść, do którego chodzili, choć nie wyłącznie, studenci. Sala na zapleczu mieściła jakieś trzydzieści stolików, niemal wszystkie były zajęte.

W oczekiwaniu na chłopaka Quilit opowiedziała mi, że studiuje prawo, że w przyszłym roku zamierza się obronić i natychmiast zatrudnić w biurze matki, która była adwokatem i zajmowała się prawem pracy.

Pojawił się jej chłopak Jaime, przystojny, wysoki i wysportowany. Nie wyglądał na zadowolonego z mojej obecności. Usiadł i rozpoczął z Quilit gwałtowną wymianę zdań, z której nic nie zrozumiałem. Potem Jaime z pociemniałą twarzą wstał i wyszedł.

– Zdaje mi się, że zaproszenie mnie tutaj nie było dobrym pomysłem – powiedziałem.

Wzruszyła ramionami, uroczo się uśmiechnęła i pogładziła mnie po ręce.

– Ty nie masz z tym nic wspólnego. To przez to, co się stało wczoraj. Potrzebowałam zapytać o coś jednego z asystentów w związku z tematem, który studiuję. Jaime zawiózł mnie do niego samochodem, ale nie chciał wejść do domu. Potem, kiedy wyszłam, wściekł się, że zabawiłam dłużej, mówił, że musiało do czegoś dojść między mną a asystentem.

– Jest aż tak zazdrosny?

– Cóż, często. Tyle że tym razem miał rację. Ale to była rzecz całkiem błaha, po co przypisywać temu aż takie znaczenie? Dobra, teraz zamawiamy i jemy.

Na salę weszła bardzo elegancka pani, piękna i pełna swobody i skierowała się do naszego stolika. Quilit przedstawiła nas sobie. To była jej matka. Pani przeprosiła mnie i zaczęła cicho rozmawiać z córką. Później podała mi rękę, uśmiechnęła się i wyszła.

– Twoja matka jest piękna – powiedziałem.

– Tak. Jest jeszcze młoda, ma czterdzieści lat, ja się urodziłam, kiedy nie skończyła nawet osiemnastu. Naprawdę ci się podoba?

– Pewnie, że tak.

– Chcesz, żebym jej to powiedziała? Jeśli jej to będzie odpowiadać, moglibyście coś zakombinować.

Zatkała mnie jej swoboda. Potem starałem się jej wytłumaczyć, że nie należę do mężczyzn, którzy, no... jednym słowem, niech mnie zrozumie.

Quilit zrozumiała, ale opacznie. Po pięciu minutach zawołała dobrze zbudowanego Metysa, posadziła go przy naszym stole, coś mu szepnęła na ucho. Metys skinął głową, położył mi rękę na udzie, pogładził je, a potem zapytał, uśmiechając się i niebezpiecznie zbliżając swoje wielkie usta do moich:

– Ja się tobie podoba, Włochu?

Przerażony powiedziałem Quilit, że się pomyliła, że nie podobają mi się mężczyźni. Spławiła Metysa, popatrzyła na mnie w milczeniu, a potem przemówiła:

– Chciałam tylko zrewanżować ci się za radość, jaką mi sprawił twój spektakl. Ale nie rozumiem, czego ty byś chciał, przepraszam. Skończmy jeść.

Skończyliśmy. I zaraz potem zapytała, czy mógłbym jej dać nieco pieniędzy.

W Brazylii była silna dewaluacja, wyciągnąłem z portfela gruby plik banknotów. Wzięła kilka z nich, wstała i wyszła do drugiego pomieszczenia. Czułem się zakłopotany. I trochę rozczarowany tym, że poprosiła mnie o pieniądze. Wróciła z dwiema wielkimi, wypchanymi reklamówkami.

– Wybierzesz się ze mną na spacer?

Wróciliśmy taksówką do miasta, znaleźliśmy się w peryferyjnej dzielnicy niskich, rozwalających się domów, źle oświetlonej, śmierdzącej skrajną nędzą. Zafundowała mi wielogodzinny spacer. I tak poznałem Rio zakazane dla turystów.

Quilit wydawała się przyjaciółką wszystkich: dziwek, alfonsów, żebraków i nieletnich złodziejaszków. Wprowadziła mnie w świat człowieczeństwa pogrążonego w rozpaczy i zarazem desperacko szczęśliwego. Prawdziwy piekielny krąg. Od czasu do czasu wkładała rękę do reklamówki, wyciągała z niej kurze udko, pieczeń, hamburgera i podawała jakiemuś wycieńczonemu biedakowi, który nie wiadomo jakim cudem wciąż trzymał się na nogach.

O trzeciej nad ranem poprosiła, bym odprowadził ją do metra. Była zmęczona, chciała wrócić do domu. Kiedy czekaliśmy na pociąg, wzięła mnie za rękę i zaprowadziła do jakiegoś mrocznego i pustego kąta.

– Gdybyś chciał... Mamy więcej niż pięć minut – powiedziała, jednoznacznie dając do zrozumienia, o co jej chodzi.

Podziękowałem. Odpowiedziałem, że bardzo mi się podoba, ale czuję się wykończony.

Stanęła na palcach, objęła mnie mocno za szyję i pocałowała w usta.

Przyjechało metro, wsiadła, patrzyliśmy na siebie, dopóki wagony nie ruszyły.

Ramona

Do realizacji przedstawienia teatru telewizji potrzebowałem akrobatki i dobrego miotacza noży. Akrobatka miała jedynie wykonać swój numer, miotacz zaś musiał przygotować do sceny rzucania nożem aktora, który był całkowicie nieobznajomiony z tematem. Dałem znać w biurze castingowym, że w pierwszej kolejności będę potrzebował specjalisty od noża. Który to dwa dni później pojawił się w sali prób.

Był wysokim czterdziestolatkiem o wyglądzie macho, z cieniutkimi wąsikami i długimi baczkami, i choć miał na imię Pedro, pochodził z Ravanusy na Sycylii.

Wyjaśniłem mu, że aktor naprawdę rzucać nożami nie będzie, że stanowiąca cel płyta, o którą opierać się będzie jego partnerka, została tak skonstruowana, że noże zamontowano w środku. Wszystko będzie tak wyglądało, jakby ostrza wbijały się w płytę, a tymczasem będą z niej wyskakiwać. Taka sztuczka optyczna.

Mnie wystarczyło, żeby instruktor nauczył aktora dokładnych ruchów i pozycji ciała.

Pedro miał niepokojąco ponure spojrzenie. Kiedy usłyszał moje wyjaśnienia, zrobiło się ono jeszcze bardziej ponure.

– A więc to wszystko jest udawane?

– Oczywiście. Nie oczekuje pan chyba, że pozwolę komuś niedoświadczonemu rzucać w aktorkę nożami.

Przybrał obrażoną minę.

– Kiedy ja go przygotuję, już nie będzie niedoświadczony.

– Niech pan posłucha – uciąłem. – Proszę zrobić tak, jak mówię, i tyle.

Rzucił mi spojrzenie pełne nienawiści. Czy naprawdę spośród wszystkich specjalistów od rzucania nożem biuro castingowe musiało mi przysłać najbardziej przewrażliwionego?

Nazajutrz nie stawił się na próbie. Dali mi znać z biura castingowego, że został wezwany przez policję, ponieważ poprzedniego wieczoru, po zakończeniu przedstawienia w cyrku, jakiś nieostrożny widz poczynił awanse do jego dziewczyny i nasz nożownik go nieco pokiereszował.

Pojawił się dzień później, jeszcze bardziej ponury. Jednak w krótkim czasie zaprzyjaźnił się z aktorem, którego instruował. Aktor ten zrelacjonował mi, że Pedro zwierzał się mu, jak bardzo, wręcz obsesyjnie, jest zazdrosny o swoją dziewczynę, i że to nie pierwszy raz, kiedy ktoś lądował przez niego w szpitalu. I powiedział jeszcze, że gdyby dziewczyna go zdradziła, bez wahania zabiłby rywala.

– I pewnie dziewczynę też, jak sądzę – powiedziałem.

– Nie, dziewczynę nie, kocha ją zbyt mocno, by zrobić jej krzywdę.

Spec od noży skończył swoją pracę i kazałem sprowadzić akrobatkę, Ramonę.

Była uroczą i przesłodką brunetką, niewysoką, ale obdarzoną wspaniałym, wysportowanym ciałem. Kiedy po raz pierwszy pojawiła się w sali prób, zawróciła w głowie wszystkim obecnym facetom.

Co innego patrzeć na akrobatkę wykonującą pokaz na środku cyrkowej sceny, co innego mieć ją na metr od siebie. Jestem przekonany, że myśli wszystkich przedstawicieli płci męskiej, którzy na nią patrzyli, nie krążyły bynajmniej wokół sztuki; sądzę, że w tamtej chwili uznali, iż kamasutra to ledwie elementarz. Ramona była świadoma wywołanego efektu i syciła się nim, rzucając pociągłe spojrzenia na prawo i lewo. Po tym pokazie miała wszystkich mężczyzn u stóp.

Próby odbywały się przed południem i już pierwszego dnia Ramona przyjęła zaproszenie na obiad od aktora grającego główną rolę. Drugiego dnia poszła na obiad z reżyserem. Trzeciego – z drugim aktorem. O ile mi było dane wiedzieć, po obiedzie Ramona była wolna aż do siódmej wieczorem. Co dawało jej towarzyszowi, jeśli chciał, pewne możliwości manewru.

Czwartego dnia przyszła kolej na mnie, producenta. Sama Ramona to zaproponowała:

— A ty nie masz ochoty zaprosić mnie na obiad?

Kiedy jedliśmy, powiedziałem jej, by uniknąć nieporozumień, że po obiedzie jestem zajęty. W połowie obiadu zapytała mnie od niechcenia, czy byłby to dla mnie wielki problem, gdyby się okazało, że Manrico, trzeciorzędny aktor, ale piękny i postawny chłopak, nie może grać przez kilka dni.

— Żartujesz? Za dwa dni zaczynamy kręcić. Dlaczego o to pytasz?

— Tak tylko.

Wstała, poszła zatelefonować. Po powrocie powiedziała, że zadzwoniła do Manrica i on wpadnie, żeby ją odebrać. Zrozumiałem, że postanowiła spędzić z nim czas aż do siódmej. Wyszedłem, zostawiając ją w restauracji.

Tego samego wieczoru zadzwonili do mnie z biura castingowego z informacją, że Manrico nie będzie mógł stawić się na próbach, ponieważ jest w szpitalu z podejrzeniem pęknięcia czaszki.

— Wypadek samochodowy?

— Ależ! Został zaskoczony w hotelu przez chłopaka akrobatki, z którą uprawiał seks.

Olśniło mnie.

— A ten chłopak to miotacz nożami?

— A co, nie wiedziałeś?

Nazajutrz Ramona pojawiła się na próbie spokojna i pogodna, wyglądała na szczęśliwą.

– Dzisiaj idziesz na obiad ze mną – nakazałem.

Kiedy usiedliśmy za stołem, powiedziałem, że oczekuję wyjaśnień.

– To ty powiadomiłaś Pedra?

Kiedy na mnie patrzyła, błękit jej oczu był jak jezioro w pogodny dzień.

– Nie, to byłaby gra w otwarte karty, kazałam wykonać anonimowy telefon koledze z cyrku.

Spojrzałem na nią osłupiały.

– Wyjaśnisz mi dlaczego?

Uśmiechnęła się, jej oczy były rozmarzone.

– Mój drogi, nie będziesz w stanie nawet w przybliżeniu wyobrazić sobie, jak nieopisanie wspaniałe jest nasze pojednanie. Boże, co to była za noc! Zasnęliśmy całkiem wykończeni, wciąż w objęciach, dopiero o siódmej rano. Przez pierwsze dwie godziny Pedro był jak rozwścieczony byk toczący pianę z pyska, czułam się w jego ramionach, jakby miał mnie zaraz rozerwać na krwawe strzępy, błagałam, by przestał, ale on wciąż był gwałtowny jak dzikie zwierzę. Potem, nagle, stał się czuły, błagał mnie o wybaczenie, cały czas biorąc mnie z nieskończoną, niewyczerpaną łagodnością, więc...

Rozgadała się, przechodząc nawet do szczegółów. Co miałem zrobić? Zebrałem wszystkich, którzy jeszcze nie mieli styczności z Ramoną, i przestrzegłem ich przed niebezpieczeństwem.

Na szczęście Manrico po trzech dniach wrócił do pracy. Ale nie ośmieliłem się mu powiedzieć, że to sama Ramona wysłała go do szpitala, żeby zapewnić sobie noc pełną namiętności.

Sofia

Jako córka nauczycielskiego małżeństwa, także Sofia, choć bez szczególnej pasji, ukończyła nauki humanistyczne. Przez kolejne pięć lat utrzymywała się z zastępstw i korepetycji, potem się zmęczyła. Kiedy skończyła lat dwadzieścia osiem, porzuciła rodzinną miejscowość w Wenecji Euganejskiej i przeniosła się do Mediolanu. Rodzice nie byli w stanie jej utrzymywać, więc musiała sobie jakoś radzić sama. Była piękną dziewczyną o kasztanowych włosach, średniego wzrostu, o niezwykle kształtnej i zmysłowej figurze, z temperamentu bardzo żywiołową i przyjazną. Od razu znalazła pracę jako sprzedawczyni w księgarni. Bez większych oporów już po miesiącu została kochanką Fabia, pięćdziesięcioletniego właściciela księgarni, żonatego ojca dwojga dzieci. Naturalnie Sofia miała już swoje doświadczenia, ale dotąd chodziło o relacje typu „na jedno stukanko", jak je ze śmiechem określała: nawet jeśli były częste, to nigdy dwa razy z tym samym. Fabio, który otrzymał jakieś stanowisko w swoim związku zawodowym, zaczął często podróżować i w ten sposób, zatrudniwszy Sofię na stanowisku sekretarki, mógł nawiązać z nią relacje znacznie mniej przelotne od dotychczasowych. Ale to właśnie ta pozornie sprzyjająca okoliczność zmieniła ich relację na niekorzyść. Fabio zaczął zauważać, że w Sofii dokonuje się jakaś forma dojrzewania, budzenie świadomości własnej seksualności, które było dla niego krępujące. Jakby Sofia szukała czegoś więcej poza fizycznym zbliżeniem. A nie znajdując tego czegoś, robiła się niezadowolona. Zżerały go jej pretensje wygłaszane od bladego świtu, nie mógł się skupić i na zebraniach tracił jasność umysłu. Ponadto zaczął zauważać u Sofii zaskakującą agresywność, jakby specjalnie chciała, by ciążyła mu różnica ich wieku i niezdolność do zaspokojenia jej w pełni. By jakoś wyjść z sytuacji, zrezygnował z funkcji w związku. W rezultacie Sofia wróciła na stanowisko sprzedawczyni i znów zaczęli się spotykać w jej mieszkanku, którego czynsz on opłacał.

Fabio, choć nieraz miał taką pokusę, nie potrafił z nią zerwać, czuł, że gdyby to uczynił, bardzo by mu jej brakowało. Nie ośmielał się przyznać nawet sam przed sobą, że się w niej zakochał.

Pewnego ranka Sofia zadzwoniła do niego z wiadomością, że nie będzie mogła przyjść do księgarni: przeziębiła się i miała gorączkę. Fabio przeprosił, że nie może jej odwiedzić, po południu bowiem miał zaplanowane spotkanie z innymi księgarzami, które, jak sądził, potrwa do późna. Spotkanie było zaplanowane dużo wcześniej i Sofia o nim wiedziała. Dziewczyna odpowiedziała, żeby się nie przejmował, przyda się jej dzień w ciepłym łóżku, a następnego dnia na pewno będzie już zdolna do pracy. Zanim się rozłączył, Fabio zaproponował jej, żeby następnego dnia poszli razem na kolację, potem mógłby jeszcze spędzić u niej ze dwie godzinki. Sofia się roześmiała i powiedziała, że to doskonały pomysł, już od pięciu dni tego nie robili.

Około południa Fabio dowiedział się, że spotkanie zostało odwołane. Popołudnie spędził w księgarni, a po zamknięciu postanowił zrobić Sofii niespodziankę. Poszedł do smażalni, kupił kurczaka z ziemniakami i zaopatrzył się w butelkę wina.

Parkując, zauważył, że zasunięta roleta w jej sypialni przepuszcza światło, znak, że dziewczyna jeszcze nie poszła spać. Otworzył swoimi kluczami bramę na dole, wsiadł do windy, dojechał na trzecie piętro, wszedł i zamknął za sobą drzwi, nie robiąc najmniejszego hałasu.

Już w przedpokoju uderzył go słodkawy zapach zamkniętej przestrzeni, jakby mieszkania nie wietrzono przynajmniej przez dwa dni. Światło paliło się tylko w sypialni, było gorąco i duszno, system grzewczy pracował na najwyższych obrotach.

Potem zobaczył odbicie w lustrze obok wieszaka na ubrania.

Sofia miała fioła na punkcie luster, całe mieszkanie było pełne zwierciadeł we wszystkich rozmiarach. Już dawno temu się zorientowali, że dzięki grze odbić, jeśli tylko drzwi do sypialni zostały otwarte, w lustrze w przedpokoju widać było dokładnie łóżko Sofii.

A teraz na jego brzegu siedział – nagi i ociekający potem – jeden z klientów księgarni, muskularny trzydziestolatek, dobrze wybierający lektury. Sofia klęczała między jego nogami.

Fabio padł na krzesło, zamknął oczy. Nie potrafił wydobyć z siebie słowa ani wykonać żadnego gestu. Potem, zamiast wkroczyć do sypialni, zmusił się, by patrzeć. Widział Sofię z boku, włosy zakrywały jej twarz. Ruchy jej głowy były powolne, jednostajne jak falowanie morza. Przypomniał sobie, jak kiedyś powiedziała mu, że kiedy miała okazję kochać się na łodzi, czuła się w pełnej harmonii ze sobą i całym światem.

W pewnym momencie młodzieniec położył jej rękę na karku. Sofia natychmiast ją zrzuciła.

Fabio zrozumiał, że chciała zostać wolna i sama, zaklęta wewnątrz swego magicznego kręgu.

Tak, sama.

Sprawianie satysfakcji temu młodemu człowiekowi było drugorzędne, całkowicie nieistotne, za to sprawą fundamentalną i pierwszorzędną było to, by nic nie stanęło jej na przeszkodzie w osiąganiu własnej przyjemności, by nic nie naruszyło kosmicznego rytmu.

Chłopak był tylko koniecznym rekwizytem, niczym więcej.

Niedługo potem jego wnioski się potwierdziły, kiedy Sofia weszła na łóżko, szepcząc coś przy tym.

– Znowu? – zaprotestował chłopak. – Ja już od wczoraj wieczorem...

– Nie marudź – powiedziała.

Teraz, dzięki pozycji, jaką przyjęła, Fabio mógł wreszcie zobaczyć jej twarz.

Ciężko oddychając, wystawiła język i oblizała pot spływający jej po policzkach. Ale to nie wystarczyło, więc otarła twarz prześcieradłem. Młody człowiek był tuż za nią.

Fabio wiedział, że Sofia nie jęczy, nie wydaje żadnego głosu, pozostaje niema, z zamkniętymi oczami, tylko lekkie napięcie mięśni Kegla było znakiem, że osiągnęła szczyt.

Bardzo rzadko, zaraz potem i tylko przez krótką chwilę, otwierała szeroko usta, jak modliszka zjadająca samca po kopulacji.

Pierwszy raz znalazłszy się w roli widza, Fabio mógł zaobserwować wyraz jej twarzy: intensywny, niezwykle skupiony, zmarszczone brwi, napięte wargi. Odcinała się od tego, co na zewnątrz, by słuchać czegoś głęboko ukrytego w jej wnętrzu, czegoś magicznego, co dokonywało się w głębi jej ciała. W pewnym momencie szeroko otworzyła oczy, szybko poruszyła nimi na prawo i lewo, potem wywróciła je na drugą stronę, jakby chciała zajrzeć w swoje wnętrze. Słuchała siebie, gotowa uchwycić najdrobniejszą reakcję swego pobudzonego ciała. Na czas jakiś stała się ślepa, jej oczy były tylko dwoma białymi kulami i Fabio był już całkowicie pewny, że zrobiła to, by odciąć się jeszcze bardziej od świata zewnętrznego i stać się jedynym żyjącym i falującym punktem pośrodku niezmierzonej nicości.

Niespodziewanie oparła się na łokciach i złączyła ręce. Jej wargi poruszały się szybko, wypowiadając słowa, które tylko ona słyszała.

Modliła się? Jeśli tak, to do jakiego boga kierowała swoją modlitwę? Czy właśnie tak to onegdaj czyniły kapłanki Wenery?

Modlitwa musiała osiągnąć skutek, gdyż nagle Sofia skuliła się, przylgnęła czołem do prześcieradła, rękami oplotła sobie głowę, zamknęła się w sobie jak jeż, by nie przepuścić na zewnątrz nic z tego, czego doświadczała z taką intensywnością, że zdawało się, iż wstrząsa nią szloch. Potem rozciągnęła się na brzuchu, górną część ciała unosząc na rękach – wyglądała zupełnie jak jaszczurka – i szeroko otwarła usta.

A potem odwróciła się do młodego człowieka i powiedziała:

– Teraz ubieraj się i spadaj.

Fabio błyskawicznie wstał, wziął torbę i wyszedł, zamykając cichutko drzwi.

Już na ulicy postanowił, że to, co zobaczył, zachowa dla siebie i nie zdradzi się nigdy przy Sofii. Nie zaskoczył jej na zdradzie, lecz na praktykowaniu tajemnego rytuału życia, który tylko jej dotyczył.

Zanim wrócił do domu, zadzwonił do niej. Miała chropawy głos.

– Spałaś?

– Nic innego nie robiłam przez cały dzień.

– Jak się czujesz?

– Wszystko mi przeszło. Czuję się świetnie. Jutro przyjdę na pewno.

– I potem zostaniemy troszkę ze sobą?

– O niczym innym nie marzę.

– Kocham cię.

– Ja też – powiedziała Sofia.

Teodora

Można ją podziwiać w Rawennie, na wspaniałej mozaice w bazylice San Vitale. Teodora, żona cesarza Justyniana, przedstawiona tam jest w całym swoim dostojeństwie i królewskim majestacie: z głową udekorowaną bogatym diademem z kamieni szlachetnych i zwieszających się sznurów pereł, w szerokiej kolii z klejnotów, odziana w wystawny płaszcz w kolorze purpury ze złoceniami, stoi w towarzystwie swych dam dworu.

Historycy twierdzą, że jej rola nie ograniczała się do bycia zaledwie małżonką Justyniana, czyli tego władcy, który uwolnił Rzym od Gotów i zgromadził wszystkie przepisy prawa rzymskiego w jednym kodeksie – dokument ten stał się fundamentem cywilizacji prawnej naszego świata – Teodora była także najważniejszą współpracownicą cesarza w sprawach państwowych, a nade wszystko inspiratorką niektórych poważnych reform społecznych.

Poza tym, i nie jest to bez znaczenia, była kobietą, która potrafiła okazać wielką osobistą odwagę.

Prokopiusz z Cezarei, historyk epoki Justyniana, przytacza jej zaimprowizowaną mowę skierowaną do dowódców i doradców cesarza, którzy po wybuchu powstania zwanego Nika nie widzieli innej drogi ratunku niż ucieczkę. Teodora wtrąciła się do dyskusji pełnej nerwowych i sprzecznych opinii, napominając obecnych z ledwie ukrytym szyderstwem i ironią:

Jeśli idzie o kwestię, że kobieta nie powinna dawać mężom przykładu odwagi, albo wahającym się przykładu śmiałości, to sądzę, że w obecnym krytycznym momencie nie pora roztrząsać, czy sądzić należy tak, czy inaczej[*].

Przekonała wszystkich do stawienia oporu powstańcom. I tak Justynian mógł poszczycić się jeszcze jednym zwycięstwem.

Jest jednak rzeczą znaną, że ten sam Prokopiusz, który oficjalnie wychwala cesarzową, w swej *Historii sekretnej* oczernia ją, zniesławia i urąga jej, jakby chciał zedrzeć z niej zbytkowny płaszcz z mozaiki i bezlitośnie ukazać jej nagość.

---

[*] Prokopiusz z Cezarei, *Historia wojen*, tom I: *Wojny z Persami i Wandalami*, z języka greckiego przełożył, wstępem poprzedził, komentarzem opatrzył Dariusz Brodka, Towarzystwo Wydawnicze „Historia Iagellonica", Kraków 2013, s. 87.

Prokopiusz nie wybacza wielkiej cesarzowej jej pochodzenia, korzeni, straszliwych lat młodości.

Historia sekretna jest nieprzerwaną, wściekłą, drobiazgową i pełną wręcz przesadnej satysfakcji relacją z poniżenia, w jakim Teodora żyła, nim została cesarzową.

Ale czyż nie byłoby bardziej sprawiedliwie, gdyby napisał: poniżenia, w jakim była zmuszona żyć?

Akakios, tak zwany „niedźwiednik", czyli opiekun tych zwierząt w cyrku, umarł młodo, pozostawiając wdowę z trzema córkami: najstarszą, siedmioletnią Komito oraz Teodorą i Anastazją.

Jako że wszystkie trzy były bardzo piękne, matka, żyjąca w ubóstwie z jakimś biedakiem, postanowiła uczynić z Komito kurtyzanę, kiedy tylko dziewczyna osiągnie odpowiedni wiek.

Prokopiusz pisze, że Komito po krótkim czasie wiodła prym wśród swych towarzyszek, wręcz „zabłysnęła", bogaci klienci ustawiali się do niej w kolejce. Jako usługującą dobrała sobie Teodorę, będącą wtedy jeszcze niemal dzieckiem. I tu wolę oddać głos Prokopiuszowi:

Do pewnego czasu, zanim dojrzała, Teodora nie mogła spać z mężczyzną jak dorosła kobieta, ale już wtedy uprawiała niejako męskie stosunki z różnymi łajdakami – i to niewolnikami, którzy towarzysząc swym panom do teatru, wykorzystywali okazję na tego rodzaju bezeceństwa; i dużo czasu spędzała w burdelu, wystawiając swe ciało na te sprzeczne z naturą praktyki. Kiedy zaś wyrosła i była już zupełnie dojrzała, przyłączyła się do kobiet na scenie i natychmiast stała się jedną z tych kurtyzan, o których dawniej mówiono, że „są w piechocie"; nie grała na flecie ani na lirze, nie uprawiała nawet sztuki tanecznej, po prostu sprzedawała swe wdzięki pierwszemu lepszemu, całe niemal ciało wystawiając na sprzedaż.*

Jest jednak silnie zdeterminowana, by osiągnąć sukces, a przynajmniej wspiąć się o kilka szczebli na drabinie społecznej. I rzeczywiście, Prokopiusz opowiada, jak nie potrafiąc grać na żadnym instrumencie ani nawet tańczyć, dała się dostrzec dzięki swej urodzie, jedynej rzeczy, którą mogła wystawić na pokaz, i w ten sposób weszła do środowiska mimów wystawiających najmodniejsze przedstawienia tamtych czasów.

Często, pisze Prokopiusz, obnażała się na scenie, pozostając tylko w skąpej przepasce na biodra. Jednak nawet tę nie zawsze nosiła, jej słynny „numer" polegał na tym, że gęsi wydziobywały ziarenka jęczmienia rozsypane na jej sromie.

Prokopiusz przyznaje, że była inteligentna i obdarzona poczuciem humoru, że jej filozofia życiowa kazała śmiać się nawet wtedy, gdy otrzymywała razy i policzki, i że często i chętnie rozbierała się, pokazując przód i tył ciała, „chociaż części tych nie godzi się widzieć żadnemu mężczyźnie**, jak notuje zawstydzony dziejopis.

A potem, wciąż jeszcze nie dość kontent z tego, co o niej

---

* Prokopiusz z Cezarei, *Historia sekretna*, 9, tłum. Andrzej Konarek, wyd. Prószyński i S-ka, Warszawa 1998.
** *Ibidem.*

napisał, Prokopiusz wystrzela z największej armaty, opisując, że Teodora miała w zwyczaju biesiadować w towarzystwie dziesięciu dobrze zbudowanych i doświadczonych w rozpuście młodzieńców, z którymi spółkowała po uczcie, póki nie mieli dosyć. Wtedy szła kopulować z niewolnikami, przynajmniej trzydziestoma, „i tak zresztą nie była syta tego bezeceństwa"*.

Aż pewnego dnia przedstawienie, w którym gra Teodora, odbywa się w obecności Justyniana. Przyszły cesarz zachwyca się nią, a ona zostaje jego kochanką. W końcu, w roku 525 bierze ją za żonę. Niespełna trzydziestoletnia była aktorka stanie się cesarzową imperium rzymskiego na Wschodzie.

Był to gest, na który tylko Justynian mógł się zdobyć, nie prowokując powstań ani rewolt.

Prokopiusz nie przekazuje nam ani jednej, najmniejszej nawet złośliwej wzmianki o prowadzeniu się cesarzowej, co oznacza, że – zarówno jako kochanka, a potem żona Justyniana – była bez zarzutu.

Pisze tylko, ale mimochodem, że wraz z mężem oddawała się praktykom okultystycznym, chcąc odkryć tajemnice życia i śmierci. Prawdopodobnie teraz, kiedy wreszcie miała taką możliwość, Teodora starała się posiąść mądrość Wschodu, nieznaną na Zachodzie.

I bez Prokopiusza, który by jej o tym przypominał, Teodora nie mogła ani nie chciała zapomnieć koszmarów, jakie wycierpiała z powodu straszliwej biedy swego dzieciństwa. Dekrety na

---

* *Ibidem.*

rzecz biedaków i uciemiężonych, do których ogłoszenia przekonała męża, są tego jednoznacznym dowodem.

Tak, młodziutka prostytutka sprzedająca się w burdelach
Bizancjum w pełni zasłużyła sobie na to, że jako cesarzowa
podziwiana jest we wnętrzu bazyliki San Vitale w Rawennie.

Zresztą swoją przemowę do doradców Justyniana podczas
powstania Nika zakończyła stwierdzeniem, że ona sama nie
zamierza uciekać, nawet jeśli cesarz to uczyni. Że zostanie, by
bronić się aż do końca. I że przed śmiercią pomyśli, że „purpura
cesarska jest pięknym całunem"*.

Królewska szata, której nawet Prokopiusz nie był w stanie
z niej zedrzeć.

---

* Prokopiusz z Cezarei, *Historia wojen, op. cit.*, s. 88.

Ursula

Kiedy Paolo ją poznał, Ursula miała dwadzieścia sześć lat i od trzech mieszkała we Włoszech.

Wiedenka, tak jasnowłosa, że zdawała się albinoską, zwyczajnego wzrostu, lecz doskonałych proporcji ciała, ukończyła architekturę, poznała w ojczyźnie młodego włoskiego kolegę, Silvia, zakochali się w sobie, i kiedy on wrócił do Mediolanu, ona przyjechała za nim.

Teraz mieszkali w apartamencie przy corso Sempione i pracowali w tym samym biurze projektów.

Ursula miała fantastyczny charakter, często się śmiała, nie obrażała się, chyba że ze słusznego powodu, nie lubiła kłótni, starała się zawsze żyć z wszystkimi w pokoju.

202

Paolo, planujący przebudowanie odziedziczonego po dziadku gospodarstwa położonego kilka kilometrów za miastem, zwrócił się akurat do tego biura projektów, w którym pracowała para. I to właśnie Ursuli i Silviowi zlecono wykonanie projektu. W tym okresie w relacji tych dwojga widać było jakieś pęknięcie.

Ursula zorientowała się, że Silvio często i chętnie pozwalał sobie na przelotne przygody, i bardzo cierpiała z tego powodu, tłumiąc jednak wszystko w sobie, z obawy, by jakaś jej uwaga nie rozpętała jednej z tych kłótni, których nie znosiła.

Pierwszej wizji lokalnej w gospodarstwie dokonali naturalnie razem, na następnym pojawiła się już tylko Ursula. Silvio w ostatniej chwili wykręcił się pod pretekstem jakiejś pilnej pracy na miejscu. Wiedziała doskonale, że chciał zdobyć dla siebie parę godzin swobody.

I w ten sposób Paolo i Ursula znaleźli się sami w wielkim opuszczonym gospodarstwie.

Paolowi, który był kawalerem, dziewczyna natychmiast się spodobała. Zwrócił nawet uwagę na drobny szczegół w jej oczach: lewa tęczówka miała brązowe refleksy, a prawa – zielone. Obie źrenice posiadały też tę szczególną cechę, że potrafiły się bardzo wyraźnie kurczyć.

Zauważył, że tego dnia była nie w humorze, miała momenty roztargnienia i nieobecności. Dwie godziny później, po wykonaniu wszystkich potrzebnych pomiarów, była gotowa, by wracać do miasta. Wtedy Paolo zaprosił ją na obiad w wiejskiej traktierni znajdującej się nieopodal.

Ku jego zaskoczeniu, Ursula bez wahania przyjęła zaproszenie.

Paolo nie mógł wiedzieć, że dziewczyna chciała opóźnić moment, w którym znów znajdzie się sam na sam z Silviem i będzie musiała udawać, że wierzy w kolejne z jego licznych kłamstw. Pojechali jego samochodem, zostawiając auto dziewczyny przy gospodarstwie. W trakierni, nie licząc trzech starszych wieśniaków, byli tylko oni. Dzień był piękny i słoneczny, postanowili więc usiąść na świeżym powietrzu, pod strzechą.

Ursula poszła do łazienki. Paolo odprowadził ją wzrokiem, oczarowany sposobem, w jaki się poruszała. Miała krok miękki i lekki, pewnie stawiała stopy, ale w jej nogach widać było sprężystość mięśni gotowych w każdej chwili zmienić rytm. Jej kroki przywodziły mu na myśl sposób poruszania się kotowatych.

Paolo był świetnym rozmówcą i już po chwili było widać, że Ursula dobrze się czuje w jego towarzystwie. Niemal bezwiednie ich spojrzenia zaczynały się coraz częściej spotykać.

Pod koniec posiłku, kiedy czekali na kawę, Paolo opowiadał jej o dziwnej niechęci, którą wzbudzały w nim psy wszelakiej rasy. Zaczęła się śmiać.

– Ja nie cierpię psów oraz kocic – powiedziała – za to uwielbiam kocury.

Nie zdążył zapytać o powody tej dziwnej preferencji, bo w tym samym momencie nieopodal ich stolika pojawiła się ruda kotka.

Kocica i Ursula wpiły w siebie wzrok, jakby rzucały sobie wyzwanie. Zaskoczony Paolo zobaczył, że Ursula zesztywniała, napięła wszystkie mięśnie. Kocica nastroszyła sierść, spuściła uszy, wygięła ogon, groźnie prychnęła i chwilę później zaatakowała.

Poleciała w powietrzu, celując w twarz Ursuli. Dziewczyna, jakby spodziewając się ataku, zdążyła zakryć ją rękami. Wściekłe pazury kotki porysowały wierzch jej dłoni, na szczęście tylko powierzchownie.

Właściciel traktierni nie miał niczego do zdezynfekowania ran, w kółko przepraszał, a Paolo w tym czasie owijał dłonie Ursuli czystą chustką.

– To nasza domowa kotka... Nigdy jeszcze nie zrobiła czegoś podobnego... Nie wiem, co w nią wstąpiło...

Wrócili szybko do gospodarstwa, Paolo wyciągnął z kredensu domową apteczkę, zdezynfekował rany i nałożył plastry.

I chwilę potem, nie wiadomo jak, padli sobie w objęcia i całowali się namiętnie.

Tego dnia nie posunęli się dalej. Zrobiło się już późno. Ursula musiała wracać. Ale dwa dni później przyjechała do jego mieszkania i zostali kochankami.

Pierwszej nocy, którą mogli spędzić razem, kochali się, a potem szczęśliwa i spełniona Ursula zasnęła w ramionach Paola. Po chwili usłyszał, jak dziewczyna leciutko pomrukuje. Dokładnie tak samo jak kotka.

Od tamtej pory zaczynał zauważać niektóre jej szczególne cechy. Na przykład gusta w odniesieniu do jedzenia. Odmawiała sałaty, warzyw i owoców. Jej befsztyki powinny ociekać krwią, surowa ryba była jednym z ulubionych dań. Miała nienaganne maniery, ale po obiedzie, kiedy sądziła, że nikt jej nie widzi, wystawiała koniuszek języka i szybciutko oblizywała sobie wargi. Zaraz potem szeroko ziewała, na próżno starając się ukryć za serwetką.

Kiedy byli razem w łóżku, jej ulubionym elementem gry wstępnej było długotrwałe drapanie po plecach, które wyginały się z rozkoszy.

Pewnego razu poprosił ją o to samo i ku swemu największemu zdumieniu doświadczył ogromnej przyjemności. Potem, krok po kroku, zaczęła zarażać go swymi upodobaniami. Dał się przekonać do jedzenia surowych ryb, czego nigdy wcześniej nie robił, i zasmakowały mu. Zaczął zamawiać coraz bardziej krwiste befsztyki.

Na osobności zaczęli mówić do siebie „kiciu" i „kocurku". Czasem, kiedy Paolo siedział w fotelu, wskakiwała mu na kolana i kuliła się, pozwalając się gładzić po włosach.

Popołudniami, jeśli mieli czas, chodzili do kina w peryferyjnych dzielnicach, by uniknąć niepożądanych spotkań.

Pewnego razu na jakimś placu zobaczyli namiot podrzędnego cyrku, który na afiszach szczycił się posiadaniem lwa. Ursula chciała wejść. Znaleźli dwa miejsca w pierwszym rzędzie.

Po kilku pomniejszych numerach zamontowano na scenie klatkę, lwa wprowadzono do środka i wszedł pogromca. Jednak zwierzę od samego początku było nieposłuszne i roztargnione. Wyczuwało coś w powietrzu, rozglądało się nerwowo dokoła. Pogromca bezskutecznie podnosił głos i trzaskał biczem.

Po chwili lew dostrzegł Ursulę, powoli ruszył w jej kierunku, jego głowa dotknęła krat, przywarł do ziemi i wpił w nią pełen uwielbienia wzrok. Nie dało się go już od niej oderwać.

Ludzie zaczęli gwizdać, nie wiedzieli, co się stało, pokaz przerwano, ale trzeba było wiele zachodu, by zmusić zwierzę do zejścia ze sceny.

Zanim jeszcze spektakl się zakończył, Ursula oznajmiła, że chce wyjść. Kiedy tylko znaleźli się na zewnątrz, skierowała się na zaplecze, gdzie stały cyrkowe wozy.

Lew był zamknięty w swojej klatce. Wokół nie było nikogo z personelu, wszyscy byli zajęci przy wielkim finale. Ursula, ku przerażeniu Paola, podbiegła do klatki. Lew ją usłyszał, przypadł do ziemi, dziewczyna włożyła rękę między kraty, długo głaskała go po grzywie.

Zwierzę opuściło łeb i wcisnęło nos między kraty. Ursula pocałowała go i wróciła do Paola. Wielkie łzy spływały jej po policzkach.

Tego samego wieczoru Paolo, leżąc samotnie w łóżku, podjął decyzję.

Zrobi wszystko, co w jego mocy, by Ursula zostawiła Silvia i zamieszkała z nim. I tak, sądząc po tym, co dziewczyna mu opowiadała, tamta relacja już dogorywała.

Chciał się z nią ożenić, mieć ją przy boku przez całe życie.

– Albo – zakończył – przynajmniej do tego momentu, kiedy nie postanowi rozszarpać mnie na strzępy.

Venere

Potrzeba wielkiej dozy nieświadomości ze strony rodziców, by własnej córce nadać imię Wenery.

W chwili nadania imienia każdy noworodek, powiedzmy to sobie szczerze, jest tylko małą, dosyć pomarszczoną istotką, o rysach twarzy przypominających bardziej żabę albo małpkę.

Prorokowanie o przyszłym rozwoju nowo narodzonej wymaga odwagi. I oznacza wystawienie jej na pośmiewisko, jeśli ledwo-ledwo zda egzamin. Nazwać dziewczynę imieniem Wenus oznacza zrzucić jej na grzbiet odpowiedzialność, którą będzie musiała dźwigać przez całe życie: być zawsze godną noszonego imienia. A życie to, między innymi, powinno trwać krótko, jako że nigdy nie widziano Wenus ze zmarszczkami.

Jeśli chodzi o Venere, którą poznał Marco, to należy przypuszczać, że jej rodzice posiadali dar przepowiadania przyszłości, ponieważ ich córka w wieku dwudziestu lat była nie tylko zdecydowanie bardziej niż piękna, ale posiadała magnetyczne ciało, które w promieniu stu metrów przyciągało wszystkich przedstawicieli płci męskiej od lat szesnastu do osiemdziesięciu. Była jedną z tych, które w moich stronach brutalnie, ale celnie nazywało się „kobietami do łóżka".

Pierwszy raz Marco zobaczył ją, choć tylko przelotnie, we Florencji, na piazza della Signoria, w centrum kręgu złożonego z parunastu mężczyzn w różnym wieku. Dziewczyna swobodnie z nimi żartowała, nie udało mu się dosłyszeć, w jakim języku, a kiedy ruszyła dalej w otoczeniu grupy, Marco nabrał przekonania, że jest przewodniczką turystyczną.

Tego samego wieczoru udał się na stację, żeby złapać nocny pociąg z Mediolanu, który miał go zawieźć do Syrakuz. Przez dwa poprzednie dni trwał strajk kolejarzy i to był pierwszy pociąg, który jechał na południe. Wagony były przepełnione, samo wejście do środka okazało się poważnym problemem. Na szczęście Marco miał tylko jedną małą walizkę. Był ostatnim, któremu udało się wejść do wagonu. Stał w ścisku, za plecami mając okienko, a przed sobą dwie grube i głośne panie. Z niezrozumiałych powodów postanowił przepchnąć się do przodu. Po jakimś czasie, kiedy pociąg już ruszył, udało mu się dostać na korytarz. To jednak nie oznaczało zdobycia większej przestrzeni, gdyż wtedy właśnie Marco zobaczył, jak przepycha się w jego kierunku dziewczyna, w której natychmiast rozpoznał przewodniczkę turystyczną z piazza della Signoria. Dziewczyna musiała przylgnąć do niego całym ciałem, jak czasem bywa w tramwaju w godzinach szczytu. Ale tym razem nie była to kwestia paru przystanków. Dwudziestoletni Marco był przerażony myślą, że ten ekscytujący kontakt pobudzi w nim niepożądane reakcje. Także dziewczyna musiała czuć się zakłopotana, bo uparcie trzymała przekrzywioną w bok głowę, nie chcąc patrzeć wprost na niego. Pomyślał, że może kiedy zaczną rozmawiać, napięcie spadnie.

– Proszę mi wybaczyć – powiedział – ale naprawdę nie mam jak pani zrobić więcej miejsca.

– Rozumiem – odpowiedziała.

I wreszcie na niego spojrzała. Przepiękne, błękitne oczy, jezioro, w którym można się było utopić.

– Je... jestem Marco.

– A ja Venere.

Osłupiał. Po raz pierwszy poznał dziewczynę o tym imieniu. Na dodatek była go godna.

– Jest pani przewodniczką turystyczną?

– Ja? Nie, dlaczego? – zapytała zdziwiona.

– Dziś widziałem panią z daleka na piazza della Signoria z grupą mężczyzn...

– A, z tamtymi... Nawet ich nie znałam. Przyczepili się do mnie. Nie, pochodzę z Katanii, studiuję na uniwersytecie. Wyskoczyłam tylko do Florencji, bo... bo chciałam zobaczyć *Wenus* Botticellego. Cały czas chodziłam, umieram ze zmęczenia. Miałam nadzieję, że uda mi się usiąść, a tu tymczasem...

Przerwała. A potem nieśmiało zapytała:

– Mogę pana prosić o przysługę? Tylko nie chciałabym, żeby mnie pan źle zrozumiał.

– Ależ oczywiście. Co mogę dla pani zrobić?

– Nie mogę już ustać na nogach. Podtrzyma mnie pan?

– Jak?

– Tak.

Zarzuciła mu ręce na szyję i zawiesiła się na nim. Marco podtrzymał ją objęciem swoich rąk, trzymanych za nadgarstki. Potem oparł się plecami o okno i wysunął do przodu nogi. W ten sposób jego ciało przyjęło ukośną pozycję, tak żeby Venere mogła jak najwygodniej oprzeć się na nim. A Venere, która miała na sobie lekką i rozkloszowaną sukienkę, objęła nogami Marca i zasnęła. Po upływie pół godziny Marco zaczął odczuwać niewygodę i poruszył się, żeby poprawić pozycję. Venere zsunęła się w dół i Marco musiał szybko ją podtrzymać, chwytając za pośladki.

W ten sposób miał okazję skonstatować, że wywodzący się z greki przymiotnik *callipigia* – o pięknych pośladkach – odnoszący się do bogini Wenus*, doskonale pasuje także do Wenus ziemskiej. Pełna słodyczy męka trwała aż do Rzymu.

Tam, wśród krzyków i przepychań, wysiadła część pasażerów i ich miejsce zajęli inni. Marco ze swoją walizeczką i Venere z torbą podróżną znajdowali się niemal w tym samym miejscu co wcześniej, tylko tym razem przodem do okna. A pod oknem stała solidna drewniana waliza, zawierająca być może jakieś in-

---

* Pochodząca z II w. rzeźba Venere Callipigia, do której autor się odnosi, znajduje się w Muzeum Archeologicznym w Neapolu.

strumenty. Marco usadził na niej Venere, nikt z podróżujących nie zaprotestował, być może właściciel był zbyt daleko.

Marco stanął przed dziewczyną. Ona, wciąż rozespana, oparła mu głowę o brzuch i spała dalej.

Żeby nie upadła, Marco położył jej ręce na ramionach.

W Neapolu doszło do kolejnego zamieszania, ale nikt nie mógł wejść od ich strony, zablokowanej przez walizę. Pociąg ruszył. Jednak tym razem Venere wstała i powiedziała, żeby Marco usiadł na walizce.

– A ty?

– Ja, jeśli nie masz nic przeciwko, usiądę ci na kolanach.

Marco nie miał nic przeciwko. Usiadła, odwracając się plecami do niego. Podtrzymywał ją rękami oplecionymi wokół kibici.

Ona opierała się o jego tors.

W Paoli kolejny rozgardiasz spowodował jeszcze większe ograniczenie przestrzeni.

Marco wstał, chcąc ustąpić miejsca Venere. Ale nie dała się przekonać.

– Bardzo ci będzie przeszkadzać, jeśli znów usiądę ci na kolanach?

– Ależ skąd!

Venere usiadła znowu, tym razem twarzą do niego, niejako na oklep. Marco podtrzymał ją od tyłu. Oparła czoło na jego ramieniu i znów zasnęła. Powoli także Marco zapadł w półsen.

Zapach włosów Venere działał jak narkotyk.

W pewnym momencie poczuł, że przetaczają wagony na prom. Miał ochotę na kawę, ale nie chciał budzić dziewczyny.

Obudzili się jednocześnie o świcie. Uśmiechnęli się do siebie. Wstali. Podróżni wokół nich spali. Chwilę później pociąg się zatrzymał. Stacja była po drugiej stronie.

Przez okno zobaczyli strome zejście prowadzące na małą plażę. Morze było tak spokojne, że zdawało się namalowane. Venere opuściła okno i głęboko nabrała powietrza. Potem wzięła swoją torbę i otworzyła drzwi.

– Idziesz? – zapytała Marca, przechodząc przez walizę.

Marco nie zastanawiał się nawet przez chwilę, chwycił swoją walizeczkę i ruszył w ślad za nią. Kiedy schodzili w kierunku plaży, usłyszeli, że pociąg odjeżdża.

Dotarli na pustą plażę. Z tego miejsca nie było widać stacji. W mgnieniu oka Venere rozebrała się do naga, pobiegła do wody, zrobiła parę ruchów kraulem i wróciła na brzeg.

I Marcowi, człowiekowi śmiertelnemu, dane było doświadczyć cudu: ujrzał, jak nieśmiertelna Wenus wychodzi z wód, oświecana pierwszymi promieniami słońca.

Ze śmiechem rozebrała Marca, wciąż oszołomionego doznanym widzeniem, i pociągnęła go za sobą w morze. Woda była lodowata, ale on, rzecz dziwna, nie czuł chłodu.

Wyszli na brzeg, ale Venere dostrzegła zagłębienie w ziemi, rodzaj płytkiej groty. Zaciągnęła tam Marka, położyła się obok niego. A potem bogini, która nigdy w całej wieczności nie straciła okazji do miłości, szepnęła mu na ucho:

– A teraz zrobimy naprawdę wszystko to, co przez całą noc udawaliśmy.

Winnie

Jest zażywną pięćdziesięcioletnią panią, jeszcze blondynką, zamężną z Williem, panem około sześćdziesięcioletnim, małomównym, niemal zawsze zanurzonym w lekturze gazet. Na nieustanny słowotok żony Willie odpowiada monosylabami albo krótkimi cytatami z gazety.

Gdyby to była audycja radiowa, usłyszelibyśmy banalną i nieprowadzącą do niczego rozmowę dwojga starych małżonków siedzących – jak łatwo sobie wyobrazić – w salonie przed zapalonym kominkiem. Jednak jeśli słyszysz te słowa w teatrze i widzisz sytuację, w jakiej akcja się rozgrywa, każde słowo nabiera ciężaru subtelnej i mrocznej udręki.

Otóż Samuel Beckett postanowił umieścić tych dwoje, jedynych bohaterów swego dramatu *Szczęśliwe dni*, na zupełnym pustkowiu, stworzonym przez piaszczystą przestrzeń z wydmą w centrum, która do połowy przykrywa Winnie, uniemożliwiając jej chodzenie.

Jej mąż, który co prawda może się poruszać, ale tylko na czworakach, ma zapadniętą czaszkę i żyje w zagłębieniu wydmy za nią, tak że kiedy na wpół zagrzebana Winnie chce spojrzeć na niego z boku, musi się okręcać.

Te dwie postaci są tak typowo Beckettowskie, jak Nagg i Nell, ojciec i matka Hamma z *Końcówki*. Oboje unieruchomieni są w dwóch kontenerach na śmieci, których klapy podnoszą się tylko wtedy, kiedy jest pora na „papkę". Hamm z kolei jest ślepy i sparaliżowany, a jego służący-syn Clov skazany jest na bycie w nieustannym ruchu. Reszta postaci to pchły i istoty pełzające w mrocznych korytarzach.

I nie ma tu żadnego powodu, żadnego wyjaśnienia, żadnego „wcześniej". Są tacy i koniec, istnieją tylko jako żyjące metafory degradacji ludzkiej kondycji.

Oszałamiająca potęga wizjonerska Becketta, który dokładnie i w najmniejszych detalach studiował obrazy Boscha i Bruegla, tych wszystkich ślepców, kaleki, głupców, ludzkie kadłubki poruszające się na zgrubnych platformach z dołączonymi kółkami, i z otrzymanej tam lekcji wyciągnął radykalne wnioski.

Wracam do Winnie i Williego. Początek i koniec każdego ich dnia wyznacza nieprzyjemny dźwięk dzwonka.

Winnie ma pod ręką wszystko, czego potrzebuje, to znaczy

wielką torbę zawierającą mnóstwo przedmiotów, wśród nich pastę i szczoteczkę do zębów, grzebień, szminkę i pilnik do paznokci. Ma nawet słoneczną parasolkę i rewolwer, który od czasu do czasu gładzi.

I posiada też zdolność nieprzerwanego monologowania na każdy temat, jaki jej przyjdzie do głowy, nawet jeśli ubiera swój monolog w pozory rozmowy z obojętnym Williem.

Winnie jest kobietą bezgranicznie szczęśliwą.

W rzeczy samej, kiedy tylko budzi ją dzwonek, jej pierwszym zdaniem jest:

– I znowu cudowny dzień!

Jest głęboko przeświadczona, że każdy dzień będzie dniem szczęśliwym, niezależnie od tego, co może się wydarzyć.

Ale co w jej sytuacji może się wydarzyć?

A jednak coś się wydarza i widzimy to na początku aktu drugiego.

Otóż Winnie zapadła się jeszcze głębiej. Wystaje już tylko jej głowa. Ale wciąż patrzy na świat przez różowe okulary i wciąż paple, choć narzeka, że nie może już używać przedmiotów schowanych w torbie i nie może odwrócić się, by popatrzeć na męża.

Co sprawia, że jej dni stają się bardziej monotonne.

A więc to Willie będzie musiał wyjść ze swej dziury i przygramolić się do niej na czworakach, cały czas nienagannie ubrany. A Winnie, patrząc na niego z miłością, wyrazi swoją radość, nucąc piosenkę na melodię z pozytywki.

Postać Winnie zawsze mnie fascynowała i intrygowała.

Żadna z Beckettowych postaci nie jest łatwa do rozszyfrowania, a napisano już o nich mnóstwo książek i prac w wielu językach świata.

Najbardziej oczywiste pytanie i w gruncie rzeczy najbardziej logiczne, jakie prostoduszny czytelnik albo widz może zadać, to czy Winnie ma świadomość tragicznej sytuacji, w której przyszło jej żyć.

Ja, choć niechętnie zgadzam się na umieszczenie problemu w tej perspektywie, odpowiedziałbym, że tak, skoro w drugim akcie ma pełną świadomość zmian, które w jej życiu zaszły na gorsze.

W takim razie, według niektórych, Winnie miałaby reprezentować kwintesencję kobiecej próżności. Cały jej świat sprowadzałby się do szminki i grzebienia.

Ale inni twierdzą, że przeciwnie, że chodzi tu o kwintesencję kobiecej odwagi i to z dokładnie tych samych powodów. Taki jest w istocie reżyserski wybór Strehlera, który uczynił z Winnie symbol upartej woli życia.

Jednak, idąc dalej tym tropem, musielibyśmy uznać *Szczęśliwe dni* za hymn na cześć miłości małżeńskiej, skoro Willie, zorientowawszy się, że Winnie nie może już go zobaczyć, podpełza do niej.

Ja tymczasem sądzę, że klucza do interpretacji mogą nam dostarczyć przedmioty znajdujące się na scenie. Przedmioty u Becketta mają fundamentalne znaczenie. Nie ma tam ani jednego drobiazgu, który zostałby podłożony bez powodu. Na przykład pewna badaczka wykazała, że wszystkie co do jednego elementy scenografii w *Końcówce* przedstawione były na jednym ze sztychów Dürera.

Szminka, grzebień, szczoteczka do zębów, wszystko to są przedmioty w pewnym sensie ze sobą spójne, mogą zaleźć się w torebce każdej kobiety. Ale rewolwer? Winnie mówi, że wycelowała nim w męża. I dlaczego go głaska od czasu do czasu? Uwaga, nie dotyka go przypadkowo, bierze go świadomie i głaska. Nie można tego ignorować. Nie ma tego elementu w innych dramatach. Broń istnieje, zostaje pokazana i, przede wszystkim, jest pieszczona.

Pewnego razu przeprowadziłem coś w rodzaju referendum wśród moich studentek z Akademii Sztuki Dramatycznej. Otrzymałem zdumiewające odpowiedzi. Jedna z nich powiedziała mi nawet, że w broni Winnie widziała symbol męskości Williego i dlatego...

Ja mam własną opinię. Uważam, że *Szczęśliwe dni* są dramatem filozoficznym, nazwijmy go tragedią na temat wolnej woli. A broń jest tym narzędziem, które daje wolność wyboru.

Pozostawiam kwestię otwartą.

Jednak niezależnie od tego, jaką interpretację przyjmiemy, Winnie na zawsze pozostanie, i tego jestem pewien, najbardziej fascynującym przejawem niemożliwej do rozwiązania zagadki, jaką jest kobieta.

Yerma

Kiedy byłem chłopcem i spędzałem długie okresy na wsi u dziadków, w każdy piątek rano obserwowałem, jak w progu ich *baglio** pojawia się staruszka w łachmanach, brudna, cała ubrana na czarno, by prosić o jałmużnę.

Prawdę mówiąc, o nic nie prosiła; kiedy tylko wchodziła, opierała się o wielką okutą bramę i zastygała bez ruchu, w milczeniu, z opuszczoną głową i szalem naciągniętym na czoło tak, że całkiem ją zakrywał. Chyba nigdy nie udało mi się zobaczyć jej twarzy.

---

* *Baglio* – typowe na Sycylii duże gospodarstwo z wielkim podworcem otoczonym solidnymi murami, zorganizowane w całości do wewnątrz i przystosowane do celów obronnych.

Żadna z kobiet obecnych na podwórcu, wieśniaczek czy słu-
żebnych, nie witała się z nią, tylko jedna z tych ostatnich spieszy-
ła do babki Elviry, by powiedzieć, że *chiddra ddrà* – w dialekcie:
„tamta" – właśnie przyszła. Nigdy nie wymawiały jej imienia,
chociaż znały imiona i nazwiska wszystkich żebraków, którzy
już za chwilę mieli ustawiać się w kolejce.

W każdy piątek i niedzielę ze wsi przyjeżdżał ksiądz, aby
w naszej kaplicy odprawić mszę, w której uczestniczyła nie
tylko babka z rodziną, ale też służące i wieśniaczki, które tego
pragnęły.

Jednak w każdy piątek po wyjeździe księdza rozpoczynała
się jeszcze inna ceremonia: rozdzielanie jałmużny pod przewodnictwem babki Elviry. Siadała w cieniu przy bramie, obok
stolika z przygotowanymi miskami gorącej zupy, na kolanach
miała skórzany mieszek pełen drobniaków.

– *Baciamulimani, donna Ervì* – mówił, zbliżając się, pierwszy z kolejki. – Całuję rączki, pani Elviro.

– Witaj, Totò.

Wybierała kilka monet z sakiewki i wkładała je w dłoń że-
braka.

– Zjedz trochę zupy, Totò.

Wykonywała gest, jedna ze służących podawała miskę. Pod-
chodził następny.

Kiedy kończyła się ceremonia i jej mąż, dzieci oraz ja szliśmy
wszyscy na obiad, miejsce babki w jadalni pozostawało puste.
Pościła, ofiarowując Bogu to wyrzeczenie, aby coraz mniej ludzi
na całej ziemi umierało z głodu.

Jednak z *chiddra ddrà* nie chciała mieć osobistej styczności. Ponieważ żebraczka pojawiała się na długo przed rozpoczęciem ceremonii, babka przygotowywała dla niej parę groszy wraz z kilogramowym bochenkiem chleba i przekazywała to wszystko pokojowej, która zanosiła żebraczce. Stara wkładała pieniądze do kieszeni, brała chleb, odwracała się plecami i odchodziła bez podziękowania ani pożegnania.

Miałem dwanaście lat, kiedy *chiddra ddrà* przestała przychodzić. Domyślałem się, że nie należy o niej rozmawiać z babką, dlatego zapytałem pokojówkę.

– *Morse* – odpowiedziała. – Umarła.

– Ze starości?

– *Nonsi, morse malamenti. S'appinnì a un arbolo.*

Popełniła samobójstwo, wieszając się na drzewie.

Pamiętam wyraźnie, że bardzo mnie to poruszyło. Żal mi było tej kobiety, kiedy patrzyłem na nią, jak opiera się o bramę w oczekiwaniu. Kiedyś widziałem, jak zbliżył się do niej jeden z psów, obwąchał ją, a potem podniósł nogę i nasikał na kobietę. Nie poruszyła się nawet.

A babcia, tak dobra i pełna miłosierdzia wobec wszystkich, czemu traktowała ją tak oschle?

Wreszcie Minicu, dzierżawca, mając już dosyć moich nalegań, opowiedział mi pokrótce jej historię.

Chiddra ddrà, także on ją w ten sposób nazywał, ponieważ zapomniał jej imienia, w wieku osiemnastu lat wyszła za dobrego, pracowitego rolnika, który miał na imię Neli. Po trzech latach małżeństwa para wciąż nie miała dzieci. Wtedy *chiddra ddrà* zwróciła się do wróżki-znachorki, która wyjawiła jej, że to nie ona jest bezpłodna, lecz jej mąż. W konsekwencji *chiddra ddrà* znienawidziła Nelego, zaczęła chodzić po wsi i rozgadywać, że ją oszukał, że wyszła za mąż, by mieć dzieci, a nie przygotowywać jedzenie dla mężczyzny, który nawet nie jest mężczyzną.

Twierdziła, że Neli ją poniża, bo zamężna kobieta, która nie ma dzieci z winy męża, to taka, której odmówiono prawa do bycia matką. A jeśli kobieta nie jest matką, to kim jest? Drzewem owocowym, co nie daje owocu, niczym, kawałkiem drewna nadającym się tylko na opał.

Wtedy, według Minicu, *accomenzò a nisciri 'u sensu*, zaczęła tracić trzeźwość zmysłów.

Pewnego dnia udała się do wróżki i słono płacąc z zebranych specjalnie na ten cel oszczędności, zaopatrzyła się w silną truciznę, która nie zostawiała śladów.

I bez wahania wsypała ją mężowi do zupy.

Neli umarł, komendant miejscowego posterunku karabinierów miał co prawda pewne podejrzenia, ale sekcja zwłok wykazała jedynie nagłe zatrzymanie akcji serca.

Po okresie żałoby *chiddra ddrà* zaręczyła się z wdowcem z dwójką dzieci. Czyli z mężczyzną, co do którego zdolności prokreacyjnych mogła być pewna. Ale nie udało się jej wyjść za niego, gdyż znachorka, aresztowana za przyczynienie się do śmierci dziewczyny, u której przeprowadzała aborcję, wyznała też, że zaopatrzyła w truciznę *chiddra ddrà*. Która to podczas procesu nie powiedziała ani jednego słowa na swoją obronę.

Została skazana na trzydzieści lat bez możliwości zwolnienia warunkowego. Bardzo prawdopodobne, że gdyby zamordowała męża dlatego, że zakochała się w innym mężczyźnie, wyrok byłby mniej surowy.

Kiedy odbyła karę w całości i wyszła na wolność, nikt nie chciał jej przyjąć do pracy, nawet proboszcz. Została zmuszona do żebrania.

Tę historię nosiłem w sobie bardzo długo. Później przeczytałem sztukę Federica Garcii Lorki pod tytułem *Yerma*, która opowiada podobną historię, jednak wynosi ją na mityczne i liryczne szczyty.

I wtedy nareszcie *chiddra ddrà* otrzymała imię. Stała się dla mnie Yermą.

Zina

Znajdowałem się na pokładzie promu płynącego z Neapolu do Palermo, właśnie zjadłem kolację i poczułem wielkie pragnienie napełnienia płuc słonym morskim powietrzem. Urodziłem się i ponad dwadzieścia lat mieszkałem w domu położonym paręset metrów od brzegu morza, w niektóre zimowe noce szum fal dobiegał aż do mojej sypialni i służył mi za kołysankę. Jednak już od bardzo dawna mieszkałem w mieście i oddychałem ulicznym smogiem. Wyszedłem więc na zewnątrz. Było wietrznie, znalazłem miejsce osłonione od wiatru, usiadłem na czymś w rodzaju kufra wypełnionego kamizelkami ratowniczymi i zapaliłem papierosa.

Byłem sam. Od czasu do czasu ktoś próbował przejść się po pokładzie, ale wiatr szybko przekonywał go do zmiany planów. Zacząłem rozmyślać o swoich sprawach i straciłem poczucie czasu. W pewnej chwili uświadomiłem sobie, że minęła już północ. Wróciłem do środka, zszedłem po schodach na niższy pokład, przeszedłem obok biura ochmistrza, którego okienko wciąż jeszcze było otwarte, i już miałem wejść na kolejną rampę, która prowadziła do korytarza, gdzie znajdowała się moja kabina, kiedy nagle przystanąłem. Przed okienkiem, za którym siedział ochmistrz, stanęła zapłakana dziewczyna i poprosiła:

– Bardzo proszę, niech się pan zlituje!

Widok należał do niezwyczajnych. Udałem, że zajęła mnie lektura wywieszki zawierającej instrukcje dla pasażerów. Ochmistrz patrzył na dziewczynę ze zrozumieniem, ale odmownie kręcił głową.

– Niech mi pani wierzy, panienko, gdybym tylko mógł. Ale zasady w tej kwestii są bardzo surowe. Żaden pasażer nie może znajdować się na pokładzie samochodowym po odbiciu promu od nadbrzeża.

– Ale ja muszę zabrać z samochodu jedną rzecz, której zapomniałam.

Ochmistrz rozłożył ręce. Dziewczyna wybuchła niepowstrzymanym płaczem.

– W takim razie niech pan tam pośle ze mną marynarza!

– Nawet to nie jest możliwe.

Dziewczyna ukryła twarz w dłoniach. Jej ramionami wstrząsał szloch. Ochmistrz był wyraźnie zażenowany.

– Jeśli nie jestem niedyskretny, mogę zapytać, czego pani zapomniała?

– Środka nasennego. Potrzebuję go, żeby zasnąć. Jeśli go nie wezmę, nie zasnę. A jeśli nawet zasnę na chwilę, to mam straszliwe koszmary. A następnego dnia nic do mnie nie dociera, jestem cała otępiała, a jutro czeka mnie długa jazda samochodem.

– Jak nazywa się ten środek?

Dziewczyna podała nazwę. Wypowiedziała ją tonem człowieka konającego z pragnienia, który błaga o łyk wody. Głos rozdzierający serce.

– Pójdę zobaczyć, czy przypadkiem się nie znajdzie... – powiedział ochmistrz, wychodząc na zaplecze.

Dziewczyna zaczęła się modlić ze złożonymi rękami i wzrokiem wbitym w krucyfiks zawieszony na ścianie biura. Mężczyzna wrócił i ze smutkiem powiedział:

– Bardzo mi przykro. Nie mamy go w apteczce. Proszę mi wybaczyć.

I zamknął okienko. Pod dziewczyną ugięły się nogi. Podbiegłem i chwyciłem ją w pasie. Popatrzyła na mnie niewidzącymi oczami.

– Dam pani ten środek.

Nie zrozumiała, z ledwością mnie dostrzegała.

– Co pan powiedział?

– Że dam pani ten środek.

– Mówi pan poważnie?

– Poważnie.

– W takim razie poproszę.

– Tylko nie mam go przy sobie. Jest w mojej kabinie. Proszę pójść ze mną.

Nie poruszyła się, patrzyła na mnie nieufnie. Zrozumiałem, co jej przyszło do głowy.

– Dobrze – powiedziałem – proszę tu na mnie poczekać. Przyniosę go pani.

– Pójdę z panem – zdecydowała.

Nie chciała stracić mnie z oczu. Z pewnością uważała, że był to z mojej strony pretekst do zwabienia jej do kabiny, ale co, jeśli jednak mówiłem prawdę?

Moja kabina jako jedyna miała zamknięte drzwi. Pozostałe były otwarte, w kajutach widać było dziewczyny i chłopaków, którzy głośno rozmawiali w amerykańskiej wersji angielskiego, pili, chichotali i od czasu do czasu gonili się po korytarzu.

Wszedłem, ona została na progu. Chwyciłem mniejszą z walizek, postawiłem ją na stoliku, otworzyłem, wyciągnąłem pigułki nasenne. Rozpoznała opakowanie, krzyknęła, podbiegła do mnie, uklękła i zaczęła mnie całować po rękach. Dwoje lub troje Amerykanów zauważyło scenę, zaczęli wołać pozostałych.

– Proszę zamknąć drzwi – powiedziałem dziewczynie.

Wstała, zamknęła drzwi na klucz. Pokazałem jej fiolkę, trzymając ją w dwóch palcach, tylko po to, by się upewniła, czy są w tej samej dawce, którą zwykle przyjmowała.

– Dobrze, dobrze – powiedziała tonem, który wydał mi się dziwny, nieadekwatny do sytuacji. To był ton rezygnacji.

Odwróciłem się, otworzyłem fiolkę, wyciągnąłem pigułkę,

położyłem na stoliku, zamknąłem fiolkę, włożyłem do walizki, odwróciłem się.

Dziewczyna stała przede mną zupełnie naga, jej rzeczy leżały na ziemi.

– Co ty robisz?

– Nie chcesz nic w zamian? – zapytała zaskoczona.

Już wcześniej zauważyłem jej obcy akcent, ale teraz kontrolowała go jakby nieco mniej.

Poczułem się obrażony. Za kogo mnie brała? Opacznie zrozumiała mój gest, kiedy pokazałem jej fiolkę. Powiedziałem, że nie chcę nic w zamian. Zawstydzona ubrała się.

– W takim razie co chcesz?

– Nic.

Stała nieruchomo, zdezorientowana, nie wiedziała, co robić. Potem się zdecydowała.

– Mogę? – zapytała, wyciągając rękę po pigułkę.

Połknęła bez wody. Uśmiechnęła się. Musiała liczyć sobie mniej niż trzydzieści lat, miała prześliczną twarz i atrakcyjną figurę.

– A ty, nie jesteś śpiący? Mogę ci towarzyszyć, póki pigułka nie zacznie działać?

Opowiedziała mi o sobie. Miała na imię Zina i pochodziła z jednego z państw wschodniej Europy. Pracowała jako guwernantka (termin opiekunka nie był jeszcze wtedy w użyciu) starszego pana, który spał w innej kabinie. Starzec płacił jej dobrze, ale co wieczór oczekiwał od niej czegoś. Czy zrozumiałem? Zrozumiałem. Była córką rolników, ojciec gwałcił ją od czternastego roku życia, to samo robił jej starszy brat, a potem dołączył ten młodszy. Była jedyną kobietą w domu, matka umarła wiele lat wcześniej. Żeby uzbierać trochę pieniędzy i uciec stamtąd, musiała przejść przez wszystkie możliwe i dające się wyobrazić okrucieństwa. Potem, już we Włoszech, zawsze ktoś chciał od niej „czegoś w zamian", nieustannie, bez przerwy; żeby uzyskać wizę wjazdową, pozwolenie na pobyt, znaleźć mieszkanie, dostać pracę... Często ją oszukiwali, kazali dawać najpierw i nie odwzajemniali się niczym.

Tego wieczoru po raz pierwszy dostała coś bez konieczności rewanżowania się.

– Może to dobra wróżba – westchnęła, wstając.

Chwyciła moją rękę, pocałowała ją, popatrzyła mi w oczy.

– Kochany jesteś – powiedziała.

I poszła.

Od autora

Ta książka to cząstkowy katalog kobiet istniejących rzeczywiście w historii albo stworzonych przez literaturę oraz innych, które osobiście poznałem albo też mi o nich opowiadano. Z różnych powodów pozostały w mojej pamięci.

Nie pretenduje więc ona do miana traktatu o kobietach, nie zamierza być summą wiedzy o nich ani formułować żadnych wniosków, przedstawiać interpretacji psychologicznych czy zagłębiać się w labirynty kobiecego uniwersum.

Chciałem po prostu przenieść z pamięci na papier jakiś fakt, jakieś spotkanie, jakąś historię, jakieś wrażenie pozostałe po lekturze. Doszukiwanie się innych zamiarów byłoby niepotrzebnym wysiłkiem.

Spotkania osobiste tak już są odległe w czasie, że sądzę, iż warto nadać im formę pisaną.

Jednak nie mogę przysiąc, że te moje spotkania rzeczywiście się odbyły. Być może wymyśliłem je sobie albo wyśniłem, a potem, z biegiem czasu, uwierzyłem, że naprawdę się zdarzyły.

Szczerze mówiąc, nigdy nie myślałem, żeby opublikować tak intymną książkę poświęconą kobietom, ale równie szczerze mówiąc, nigdy bym nie pomyślał, że jeszcze w roku 2013 przemoc wobec kobiet we Włoszech wciąż będzie realna i że będziemy musieli uchwalać przeciwdziałające tej przemocy prawo.

C.

Spis treści

Angelika	5		Louise	120
Antygona	12		Lulla	125
Beatrycze	17		Maria	132
Bianca	25		Marika	138
Carla	29		Nefertiti	143
Carmela	34		Ninetta	148
Carmen	37		Nunzia	153
Desdemona	42		Ofelia	159
Desideria	47		Oriana	166
Elvira	52		Pucci	173
Francesca	58		Quilit	179
Helena	63		Ramona	185
Helga	70		Sofia	190
Ilaria	77		Teodora	196
Inés	82		Ursula	202
Ingrid	89		Venere	208
Joanna	95		Winnie	214
Jolanda	100		Yerma	219
Kerstin	106		Zina	224
Ksenia	113		Od autora	230